SUPERサイエンス

糞尿をめぐるエネルギー革命

名古屋工業大学名誉教授
齋藤勝裕
Saito Katsuhiro

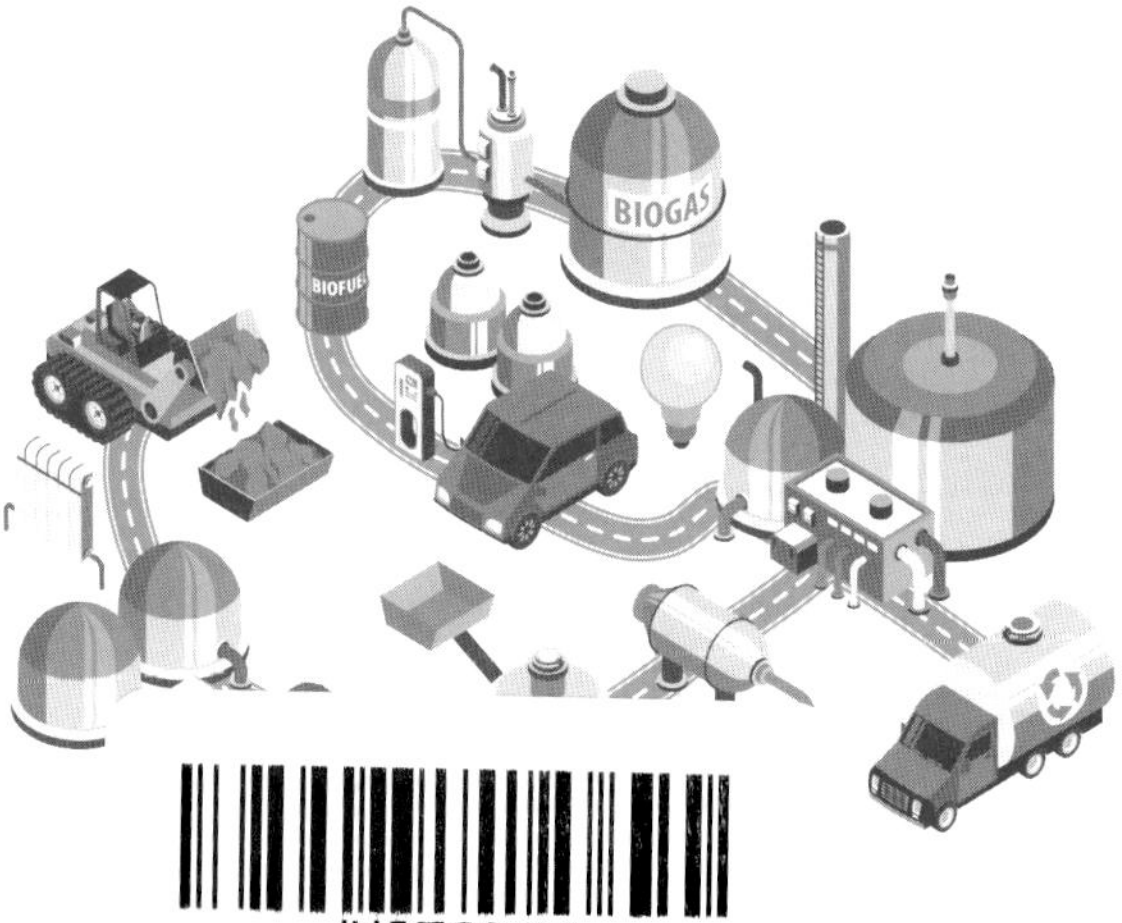

C&R研究所

■本書について
- 本書は、2023年11月時点の情報をもとに執筆しています。

■「目にやさしい大活字版」について
- 本書は、視力の弱い方や高齢で通常の小さな文字では読みにくい方にも読書を楽しんでいただけるよう、内容はそのままで文字を大きくした「目にやさしい大活字版」を別途販売しています。

通常版の文字サイズ		大活字版の文字サイズ
あいうえお	→	あいうえお

お求めは、お近くの書店、もしくはネット書店、弊社通販サイト 本の森.JP (https://book.mynavi.jp/manatee/c-r/)にて、ご注文をお願いします。

●本書の内容に関するお問い合わせについて
この度はC&R研究所の書籍をお買いあげいただきましてありがとうございます。本書の内容に関するお問い合わせは、「書名」「該当するページ番号」「返信先」を必ず明記の上、C&R研究所のホームページ(https://www.c-r.com/)の右上の「お問い合わせ」をクリックし、専用フォームからお送りいただくか、FAXまたは郵送で次の宛先までお送りください。お電話でのお問い合わせや本書の内容とは直接的に関係のない事柄に関するご質問にはお答えできませんので、あらかじめご了承ください。

〒950-3122　新潟市北区西名目所4083-6
株式会社C&R研究所　編集部
FAX 025-258-2801
『SUPERサイエンス　糞尿をめぐるエネルギー革命』サポート係

はじめに

「糞尿」とは、いうまでもなく糞と尿です。私たち動物は規則的にこれらの物を排泄しないと体内に毒素が溜まって死んでしまいます。

動物が排泄する糞の量は大変なものです。2030年には年間37億トンになると推定されていますが、これは家畜によるものだけです。これに80億人を超える人間の排泄する量を加えたら、1人200gとして年間60億トンに達します。また、牛が出す糞と牛肉に含まれるカロリーを比較すると100g当たり40キロカロリーと370キロカロリーと、糞といえど、牛肉の10分の1もあります。

世界は人口100億人時代を目前に控えて、いま人類は、SDGsの観点からもクリーンで環境にやさしい新たなエネルギーを発見することを求められています。この糞の量とカロリーは神様が人間に残してくれた恩寵かもしれません。糞尿を「貴重な資源」として見れば、肥料になるのはもちろん、燃えればエネルギーと二酸化炭素になり、二酸化炭素は次世代の植物・動物になります。つまり、糞尿は人類が願う再生可能エネルギーの化身なのです。その意味で、糞尿こそ「SDGsの切り札」とよべるのではないでしょうか。

ぜひ本書を読んで、糞尿問題の大切さにお気づき頂けたら、大変に嬉しいことと存じます。

2023年11月

齋藤勝裕

CONTENTS

CONTENTS

Chapter 3

バイオエネルギー生産

Chapter 4 肥料・堆肥としてのエネルギー

Chapter 5 養殖用飼料としてのエネルギー

CONTENTS

Chapter 7 屎尿処理・環境整備

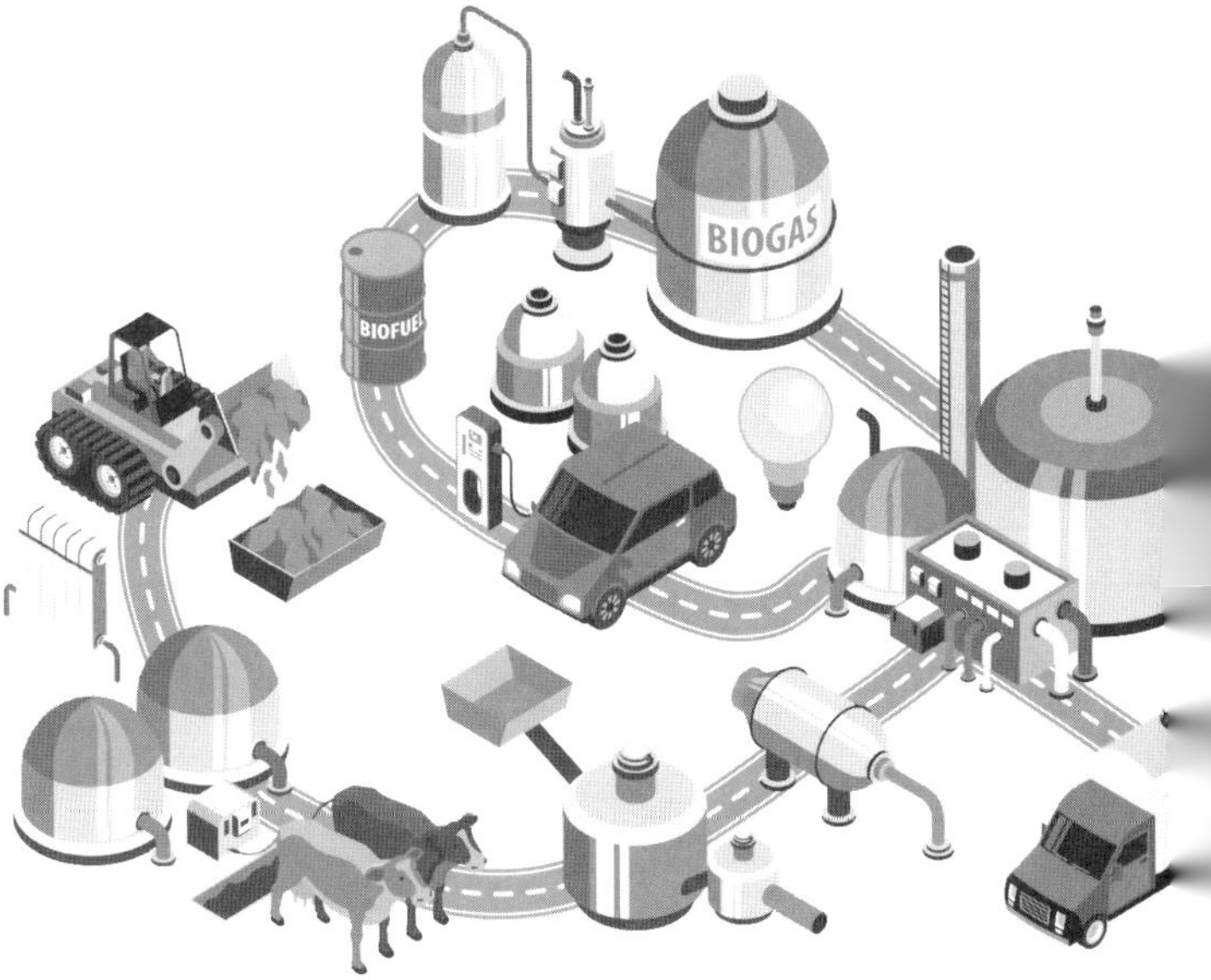

Chapter. 1
SDGsと糞尿

SECTION 01

糞尿こそは「SDGsの切り札」

人間は資源を利用して生きています。資源には鉱物、植物、動物、その他と、無数と言って良いほどの種類があります。日本は化石燃料も少なければ、レアメタルも少ない、資源貧乏国だとはよく言われるところです。その中で、日本に多いのは排泄物、糞尿の量です。一人当たり、欧米人の4／3倍も頑張っています。国土面積当たりにしたら軽く世界一ではないでしょうか？　排泄物を「汚い汚物」として見るからいけないので「貴重な資源」として見たらいかがでしょう。

糞尿には炭素、窒素、リン、カリウム、ナトリウムなどの生物にとって欠かせない元素が高濃度で入っています。これを無視して、「資源貧乏国」と嘆いているのは情けない悲観論ではないでしょうか？　SDGsを実現するには、この大切な資源を見直して活用することが大切なのではないでしょうか？

食料

ＳＤＧｓでいう食料充足の考え方は柔軟に考えるべきではないでしょうか。お腹を空かしている人の目の前にパンを差し出すのも充足でしょうが、これから穀物の種を撒いて、収穫の時期にしかるべき穀物を得ようと考えている人に、その準備を整えてあげるのも充足ではないでしょうか？

そう考えるなら、種を撒く土地を整理し、撒いた種に水と肥料をあたえるのも食料充足のはずです。そのように考えたなら、効果的な肥料を用意するのは非常に効果的な応援のはずです。しかも現在は、耕地は酷使されて疲弊しており、化学肥料は電力高騰で価格高騰しています。

まさしく、昔ながらの糞尿肥料の出番ではないでしょうか？　とは言っても、今更、昔ながらの非衛生極まりない方法論が復活して良いはずはありません。現代的にリファインされた衛生的で簡易な方法があるはずです。それを開発することこそがＳＤＧｓの精神ということになるでしょう。

エネルギー

物理化学的に考えれば、エネルギーは仕事の変形です。すべてのエネルギーは仕事になり、すべての仕事はエネルギーになります。現代科学でエネルギーとして利用されているのは、そのほとんどが熱であり、ごく僅かが位置エネルギー(水力など)、原子力、光力(太陽電池)、風力の発電などにすぎません。

熱エネルギーは燃料が必要です。化石燃料は再生能力が無いので、この際、無視しましょう。すると再生可能燃料は薪などのバイオ燃料だけに

●自然エネルギー

なります。

そこで思い出していただきたいのは糞尿です。糞尿は「植物の化身」です。ごくわずかの間だけ、「糞尿という汚れ姿」に身をやつしてはいるものの、本性は植物と動物の一部です。燃えればエネルギーと二酸化炭素になり、二酸化炭素は次世代の植物・動物になります。

つまり、糞尿は人類が願う再生可能エネルギーの化身なのです。糞尿の利用を考えないでＳＤＧｓの恒久的なサイクルはあり得ないのではないでしょうか？ その意味で、糞尿こそはまさしく「ＳＤＧｓの切り札」というに相応しいものではないのでしょうか？

●糞尿の再生可能エネルギー

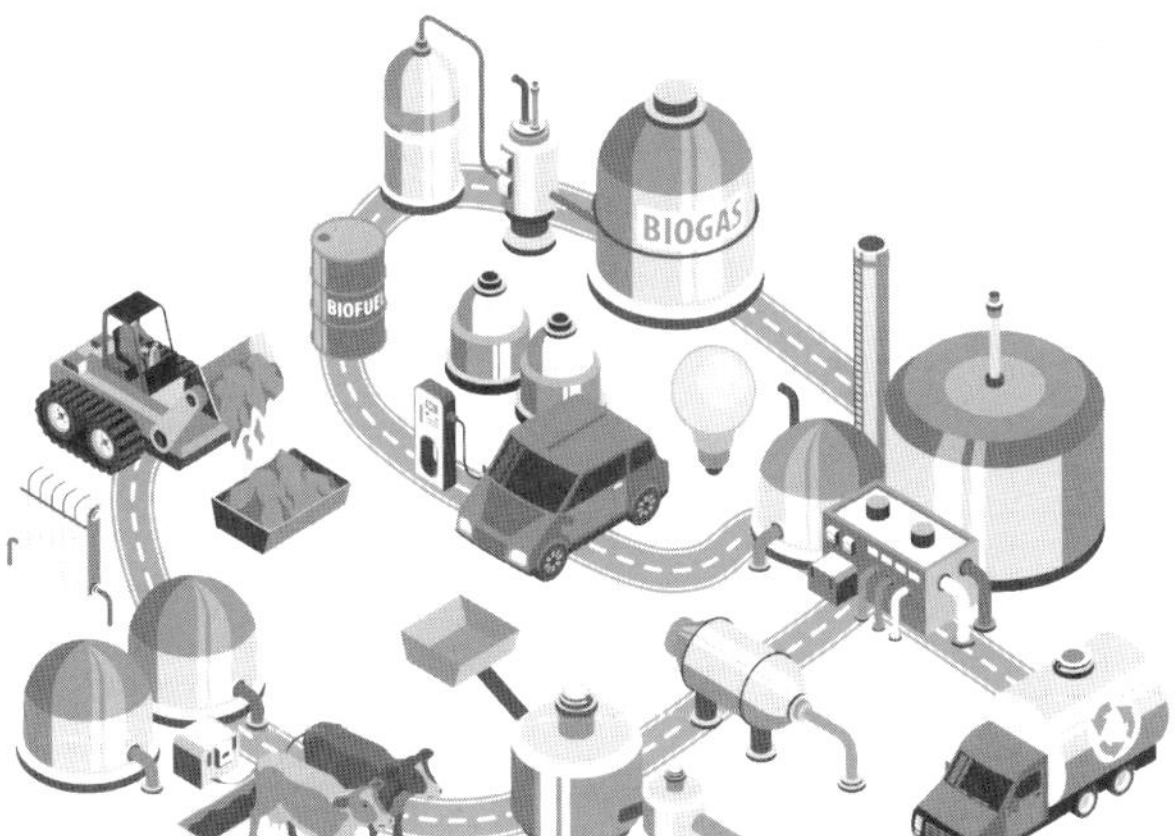

SECTION 02

SDGsとは

SDGsは「Sustainable Development Goals（持続可能な開発目標）」の略で「エスディージーズ」と読みます。

SDGsはその名前の通り、ゴール（目標）の集大成であり、17個のグローバル目標と、それぞれのグローバル目標に10個ずつほど、併せて169個のターゲット（達成基準）からなるものです。いわば全世界的な「努力目標集」のようなものです。

成立

SDGsの理念は、先の1980年に、国際自然保護連合（IUCN）、国連環境計画（UNEP）などがとりまとめた「世界保全戦略」に提出されたものです。「持続可能な開発」という理念は簡単に言えば、「将来につけを回すことなく、現代を潤す」ということです。この理念は世界各国の開発理念に影響を与え、日本でも１９９３年に制定された「環境基本法」において示されている「循環型社会」の考え方の基礎となっているものです。

具体策

持続可能な開発を維持するには、さまざまな担い手の育成が重要となります。そのためには、国際機関、国家、企業、地方自治体と並んで、ＮＧＯ、ＮＰＯ、あるいは一般市民などの自助努力・参加が必要です。このような担い手を育むために、持続可能な開発のための教育（ＥＳＤ）が国連主導で推進されています。

　そして２０１５年９月25日の国連総会において、向こう15年間の新たな開発の指針として「持続可能な開発のための２０３０アジェンダ」として１６９のターゲットが採択されました。

　このようにしてまとめられたＳＤＧｓは「17の目標と１６９のターゲット」からなるもので、複雑な社会的、経済的、環境的課題を幅広くカバーしています。

SECTION 03

SDGsの17個の目標

「持続可能な開発」は、現在、環境保全についての基本的な共通理念として、国際的に広く認識されています。これは、「環境」と「開発」を、互いに反するものではなく、共存し得るものとしてとらえ、環境保全を考慮した節度ある開発が可能であり、重要であるという考えに立つものです。

SDGsとしてまとめられた17個のグローバル目標は次の通りであり、それは全て単純な箇条書きになった非常に単純でわかりやすいものばかりです。難を言えば、

●SDGsの17個の目標

これ以上解説の仕様が無いようなものばかりです。それはすなわち、このような問題で苦しんでいる立場の人たちの率直な声であるということの反映と考えるべきことなのでしょう。その目標を示しましょう。

①　貧困をなくそう

あらゆる場所のあらゆる形態の貧困を終わらせる。

②　飢餓をゼロに

飢餓を終わらせ、食料安全保障及び栄養改善を実現し、持続可能な農業を促進する。

③　すべての人に健康と福祉を

あらゆる年齢のすべての人々の健康的な生活を確保し、福祉を促進する。

④　質の高い教育をみんなに

すべての人々への包摂的かつ公正な質の高い教育を提供し、生涯学習の機会を促進する。

⑤ジェンダー平等を実現しよう

ジェンダー平等を達成し、すべての女性及び女児の能力強化を行う。

⑥安全な水とトイレを世界中に

すべての人々の水と衛生の利用可能性と持続可能な管理を確保する。

⑦エネルギーをみんなにそしてクリーンに

すべての人々の、安価かつ信頼できる持続可能な近代的エネルギーへのアクセスを確保する。

⑧働きがいも経済成長も

包摂的かつ持続可能な経済成長及びすべての人々の完全かつ生産的な雇用と働きがいのある人間らしい雇用を促進する。

⑨ **産業と技術革新の基盤をつくろう**

強靱（レジリエント）なインフラ構築、包摂的かつ持続可能な産業化の促進及びイノベーションの推進を図る。

⑩ **人や国の不平等をなくそう**

各国内及び各国間の不平等を是正する。

⑪ **住み続けられるまちづくりを**

包摂的で安全かつ強靱で持続可能な都市及び人間居住を実現する。

⑫ **つくる責任つかう責任**

持続可能な生産消費形態を確保する。

⑬ **気候変動に具体的な対策を**

気候変動及びその影響を軽減するための緊急対策を講じる。

⑭ 海の豊かさを守ろう

持続可能な開発のために海洋・海洋資源を保全し、持続可能な形で利用する。

⑮ 陸の豊かさも守ろう

陸域生態系の保護、回復、持続可能な利用の推進、持続可能な森林の経営、砂漠化への対処、ならびに土地の劣化の阻止・回復及び生物多様性の損失を阻止する。

⑯ 平和と公正をすべての人に

持続可能な開発のための平和で包摂的な社会を促進し、すべての人々に司法へのアクセスを提供し、あらゆるレベルにおいて効果的で説明責任のある包摂的な制度を構築する。

⑰ パートナーシップで目標を達成しよう

持続可能な開発のための実施手段を強化し、グローバル・パートナーシップを活性化する。

以上の17目標です。

各目標の間に関連は必ずしもありません。ここに揚げられている目標は、目標であると同時に、恵まれない環境に置かれた人々の救いを求める声でもあります。これは法律ではないのです。現実に困っている人たちが声を上げ、それに対して貧富の差別なく、全ての国が一致してそれを解決しようと立ち上がったのです。そこに価値を求めるべきでしょう。

SECTION 04

SDGsの具体的な目標

17のグローバル目標は、すべて、そのことで困っている人たちがおり、その人たちが掲げた目標であり、その達成に緩急の区別があってはならず、全て同じように解決され、同じように実現すべきものばかりです。しかし、それは理想論であり、現実の社会には各国の事情もあれば予算もあり、中には科学・工学的な技術不足もあります。また、全人類的、全地球的な視点で見た場合に、何はともあれ、これだけは早急に片付けなければならないという問題もあります。それについて見てみることにしましょう。

本書は科学関係の書です。その立場を考えて、政治・経済・法律的なことは他書に任せることにして、ここでは科学・工学的な問題に絞って考えてみましょう。すると「食料問題」「エネルギー問題」「環境問題」が浮かんできます。

①食料問題

2022年11月、世界人口はついに80億を突破しました。産業革命の頃の人口は10億でした。それが1950年に25億になり、1987年50億、2010年70億、そして2058年には100億に達する見込みです。

同胞の人類が増えることは嬉しいことです。しかし、人類は動物であり、生きている限り食料を摂取しなければなりません。その食料をどうしましょう？　この狭い地球の上に80億もの人々が暮らしていけるのは、1906年に開発された、ハーバー・ボッシュ法によるアンモニア合成のおかげです。このアンモニアのおかげで化学肥料ができ、多収穫農業が開発されたのです。

●カール・ボッシュ

●フリッツ・ハーバー

この多収穫農法はどこまで有効なのでしょうか？　もう、田畑によっては化学肥料のおかげで酸性に傾き、これ以上化学肥料をつぎ込んでも収穫は頭打ちになりそうといいます。また、化学肥料を合成するためには大量の電気エネルギーが必用です。そのエネルギーをどうしましょう？

②エネルギー問題

現在、電力は主に水力発電、火力発電、原子力発電で賄っています。しかし、大規模な水力発電は環境破壊の恐れがあり、建設は頭打ち状態です。火力発電は化石燃料に枯渇の心配が出てきています。

●環境問題

また、その燃焼によって生じる二酸化炭素、ノックス（窒素酸化物）による酸性雨や地球温暖化によって、地球そのものが病んでいる状態です。早急に手を打たないと、取り返しのつかないことになるでしょう。救世主のように考えられた太陽電池や風力発電などの再生可能エネルギーも、蓋を開けてみれば、思ったほどの力は無かったようです。また原子力にもどるのでしょうか？　原発事故は二度と無いと言い切れるのでしょうか？

③ 環境問題

そして最期に出てくるのが、全ての「ツケ」を一手に引き受ける環境問題で

●酸性雨によって枯れた木

す。「気候不順は誰もが困っているところです。それは地球温暖化のせいだといいます。

　このままいけば、南極大陸の氷山や世界の氷河が溶け墜ち、海水が膨張して今世紀末には海水面が50㎝上昇すると言います。世界の大都市は、軒並みベニス状態です。決して杞憂ではありません。現に、つい1万年ほど前の日本の縄文時代には、氷期と間氷期が訪れ、その時には海面は100m以上も上昇したり、下降したりしているのです。

　SDGsなどと、遠い国で開かれる「国連総会のお話」などとのんびり構えていて良い状態ではありません。

●南極大陸

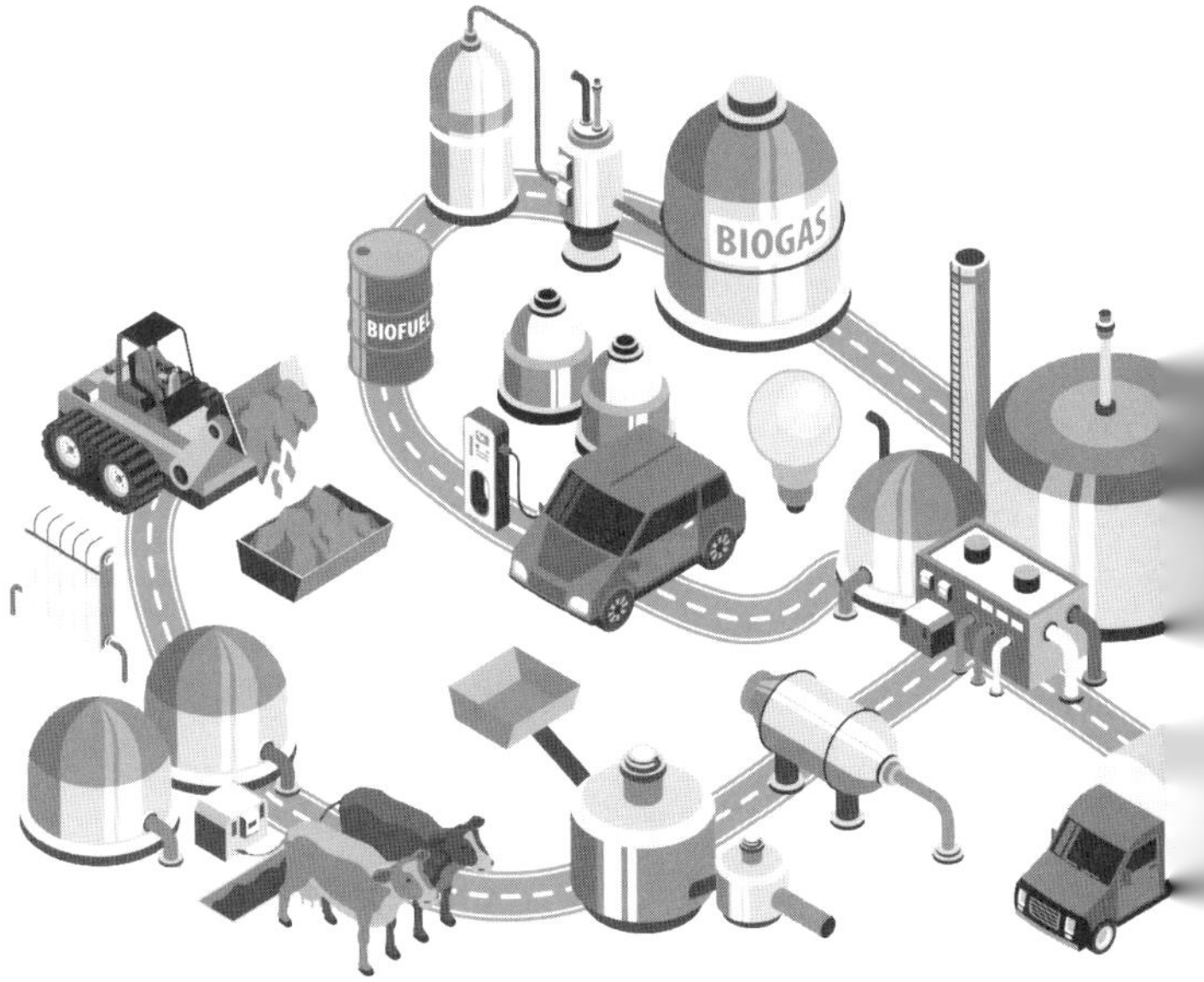

Chapter. 2
糞尿とは

SECTION 05

糞尿という有機質肥料

糞尿とは動物の排泄物のうち、肛門から排泄される固形物（糞）と尿道から排泄される液体（尿）を一緒に表現した名前です。人間の糞尿の場合にはとくに屎尿《しにょう》と呼ぶこともあります。一般に汚く不衛生な物として忌避されますが、動物である人間に取って、避けて通ることのできない物です。

現代では糞尿は無価値な廃棄物としてのイメージが定着しています。しかし、日本の江戸時代には、糞尿は肥料（有機質肥料）として扱われ、お金で取引される金肥《きんぴ》という立派な商品でした。

こういった肥料としての使われ方は、古代ギリシャのアテネでも一般的に行われていたことが知られています。

糞尿の色

糞尿の色、匂いは健康のバロメーターです。昔のお医者さんの中には、赤ちゃんのウンチを舐めて健康状態を察知する人もいたといいます。

人間の便の色は、通常時の場合は黄土色から茶色のあいだで、これは胆汁によるものです。人の大便の茶色のもとは胆汁中のビリルビンが腸内細菌により最終的に代謝され生成されたステルコビリンによるものです。摂取した食物の種類、体調などにより、色調の濃淡が変化すると言います。

食生活も関係しており、一般に肉食な

●有機質肥料

ど動物性タンパク質のものを多く食べると褐色がかり、反対に穀物、豆類、野菜類を多く食べるとｐＨの関係で黄色が強くなります。

黒色の便（特にタール状のもの）は上部消化管（胃・十二指腸）での出血を示唆し、消化性潰瘍もしくは癌が疑われます。肉眼的に赤い血液が確認できる便（血便）は下部消化管（大腸以下）での出血によるものであることが多いそうです。胆道閉塞の結果として胆汁の分泌量が少ないと、白っぽい便が出ることもあります。また、ロタウイルスなどの感染症では白色の下痢が特徴です。

匂い

一般に大便の匂いは食物の残滓が腐敗して発すると思われがちですが、実は、食物残渣と一緒になって放出される細菌類の排泄物によって臭いが放たれます。臭いの原因物質としては、インドール、スカトールなどの窒素化合物や、メルカプタン、硫化水素などのイオウ化合物があげられます。

ちなみに硫化水素は猛毒の毒ガスであり２００８年には１年で１０００人以上の人

が硫化水素自殺で亡くなり、社会問題になったほどです。まさか人のオナラで命を落とすことは無いでしょうが、エチケットは守るものです。

一般的に、草食獣などの弱い動物ほど糞の臭いは少なく、逆に肉食獣の糞は臭気が強くなります。これは弱い動物が臭い糞をすると、天敵を集めてしまう危険が高くなるために、臭い糞をする草食獣は淘汰された結果だともといわれています。逆に肉食獣などの糞は、脂質やタンパク質を消化するためにさまざまな消化分泌系が発達し、より臭いが強い傾向があります。

人間の場合、健康な便からは露骨な悪臭はせず、発酵臭に似た臭いが放出されます。これは一般に善玉といわれるビフィズス菌や乳酸菌の代謝によって排泄される臭いです。反面、ウェルシュ菌などの悪玉菌はスカトール、メルカプタン、硫化水素など毒性のある臭いを放ちます。

口臭が腸内ガス由来の場合がありますが、これは便秘している腸からガスが吸収されて血管内を運ばれ、肺から放出され口腔から放出されるためです。

SECTION 06

糞尿の成分と発生量

一般に糞尿は汚くて不衛生で始末に困る物と思われがちですが、もとはと言えば私たち自身が排泄した物であり、その昔は私たちの体の一部として共に暮らした、言ってみれば分身のようなものです。あまり悪く言ったら我が身に返ってきそうなものです。

糞尿の成分

糞尿の成分は食物の成分を反映しているとみて良いでしょう。食べたことのない元素が入っていたとしたら、それはその人の体内で原子核反応が起こっていたことの証明であり、そのうち「金のウンチ」を排泄する可能性があるということです。

家畜の糞尿の成分を表Aに示しました。各成分の含有量は鶏が最も濃厚で、牛が希薄なようです。とくにリン酸は鶏と豚に多いようです。

新鮮な下肥（人間の糞尿）の肥料成分は、普通の日本人の場合、水分95％、窒素０・５〜０・７％、リン酸０・11〜０・13％、カリウム０・２〜０・３％で、ほかにカルシウム、マグネシウム、ケイ酸の少量と約１％の食塩からなっています。なお、この数値は下肥の物ですから、糞と尿を混合したものの量となっています。

糞尿の発生量

日本における家畜の糞尿の１年あたりの発生量は次ページの表Bの通りです。牛は乳用と肉用を足すと４、５０００万トンと最も多く、次いで豚、鶏の順になっています。

人間の場合には、国によって開きがあります。

●家畜の糞尿の成分含量（表A）

家畜	糞尿	乾物率	全炭素	全窒素	リン酸	カリ	石灰	苦土	Na_2O	分析点数
牛	糞	19.9	34.6	2.19	1.78	1.76	1.7	0.83	0.27	100
			6.9	0.43	0.35	0.35	0.34	0.17	0.05	
	尿	0.7		27.1		88.6	1.43	1.43		6
				0.19		0.62	0.01	0.01		
豚	糞	30.6	41.3	3.61	5.54	1.49	4.11	1.56	0.33	62
			12.6	1.1	1.7	0.46	1.26	0.48	0.1	
	尿	2		32.5						11
				0.65						
採卵鶏	糞	36.3	34.7	6.18	5.19	3.1	10.9	1.44	-	50
			12.6	2.24	1.88	1.12	3.96	0.52		
ブロイラー	糞	59.6	-	4	4.45	2.97	1.6	0.77	-	2
				2.38	2.65	1.77	0.95	0.46		

※各成分含量の上段は乾物当たり、下段は現物当たりのパーセント

健康な大人の日本人が1日に排泄する量は、平均およそ200gといわれています。1日200gとして仮に80歳まで生きるとすると、幼少期や高齢期での量を少なめに見積もっても、一生ではざっと5トン近くになります。

しかし、戦前は平均約400gといわれていましたから、当時と比べると半減していることになります。減った原因は食物繊維の摂取量の減少にあります。戦前の日本人は1日平均約30gの食物繊維をとっていたのに対し、現代日本人はようやくその半分の15gをとるに過ぎません。

食物繊維は穀類や豆などに多く含まれ、肉類にはほとんど含まれません。糞便は消化されなかった食物繊維、すなわち食物のカスと考えられますが、じつは繊維そのものは便の重さの5%程度を

●畜種別にみた家畜排泄物発生量（表B）

畜種	発生量（単位：万トン）
乳用牛	2,186
肉用牛	2,358
豚	2,115
採卵鶏	791
ブロイラー	563
合計	8,013

※令和2年　畜産統計などから推計

占めているだけで、60％以上は水分です。残りは新陳代謝して剥がれ落ちた腸の粘膜組織や細胞、腸内細菌やその死骸などが合わせて30〜40％含まれます。消化できなかった繊維のカスは、水分を多く取り込んで糞便の重量を増やしています。

世界で最もたくさんのカロリーを摂取し、大きな身体を維持している米国人の糞便量は、1日せいぜい150gと日本人の4分の3程度です。米国人の排泄量が少ないのは、脂肪やタンパク質、糖質が多く、食物繊維が少ない食生活のせいです。

一般に、欧米人は糞便量が少なく、150gなら多いほうで、平均80〜120gと報告している調査もあります。日本人の近年の糞便量の減少には、食事の欧米化の影響が見てとれるのです。

SECTION 07

糞尿処理の歴史

糞尿は東アジア（中国東部、朝鮮半島、日本）では肥料（下肥）として農地に還元される文化があり、日本では江戸時代後期に都市部と農村部の間に流通経路が確立していたといいます。

江戸のシステム

江戸の場合、堆肥《たいひ》の元となる里山が多かった西側（多摩地方）では糞尿の需要が薄く、逆に低湿地が多く舟運に適した東側（葛西地方）で利用が進んだといいます。

糞尿を肥料として見た場合、肥料の三要素である窒素N、リンP、カリ（カリウム）Kのうち、窒素が過剰であるため葉物野菜の栽培に適し、当時、小松菜などの栽培にも多用されたと考えられます。

衛生面から見ると、大便中には寄生虫卵や大腸菌などの病原体が含まれ、リスクがあります。一方、尿は腎臓で濾過されるため排泄時は無菌であり、それらのリスクは低く、しかも尿素（窒素）とリンを多く含んでいるため、使いやすい肥料です。

肥料として用いる人糞は、そのまま使うと作物が根腐れするため、たいていは肥溜《こえだめ》に入れて発酵させて利用します。しかし発酵中の物は非常に臭いが強く、さらに衛生害虫になるクロバエ類やニクバエ類、また蚊の中でも最も富栄養状態に適応したオオクロヤブカの発生源となるなどの問題がありました。また、人糞肥

●有機肥料

料を媒介とした寄生虫の流行も問題となりました。

化学肥料が安価で大量に生産され始めた1950年代まで、糞尿は主要な肥料でした。当時は、現代の新聞紙の廃品回収のように、農家が有料糞尿を買い取っていました。

糞尿の回収・運搬

江戸の下肥は糞と尿を混合していましたが、京と大坂では両者を分け、売却も別だったといいます。現在、発展途上国向けに主に公衆衛生改善策として伝染病リスクの少ない便所を広める運動がありますが、そこでも大便は分割貯留し、尿を作物に施肥する方策を採っています。

糞尿は舟で運ばれたこともあり、水で薄め嵩増しする行為が横行していたといいます。農家は貴重な下肥の品質を確認するため、時には舐めて味を見たといいますが、これは糞尿中の塩分が川水で薄められていないか調べたものと推測されます。現在の屎尿処理施設でも塩化物イオン濃度を測定して、処理負荷などをコントロールする目安としています。

昭和初期には、旧武蔵野鉄道（現在の西武鉄道）には、東長崎駅と江古田駅の中間に長江駅という貨物駅があり、都内で集められた糞尿を貨車積みして、多摩地区や狭山地区の農家へ届ける為に輸送をしていました。その貨物（糞尿）の色から「黄金列車」と呼ばれていたと言います。

第二次世界大戦以前も鉄道による糞尿輸送は各地で小規模ながら実施されていましたが、１９４４年、戦争が激化すると東京都下の豊島区、淀橋区、中野区、杉並区では糞尿の汲み取りの遅れ、輸送難が深刻な問題となり、東京の西部の農村地帯へ向けて鉄道による輸送が大規模に行われることとなりました。

廃棄処理

日本で糞尿を廃棄物として規定したのは、１９００年（明治33年）に公布された「汚物掃除法」です。ただしこれは、公衆衛生が目的であり、有価物としての糞尿の売却は続いていました。

しかし、大正期に入ると経済成長が労賃高騰を招き、農村還元（都市部で発生した屎尿を農地へ運搬・施肥する）が経済的に引き合わなくなっていきます。さらに即効性が高く施肥も効率的な硫安などの（化学肥料）が食料増産への国策として奨励されたこともあり、ついに糞尿のサイクルは崩れ、大正期半ば以降は収集料を住民が負担し、糞尿収集とその処理を地方行政が担う現代の姿となりました。

同じ頃、下水道でも糞尿をマンホール投入により受け入れ始めています。しかし当時の下水処理場設計能力は汚水排除までで、やがて糞尿は海洋投棄が主流となっていったのでした。

SECTION 08

糞尿と文化

糞便や排便行為に対する意識や作法は、時代や地域、文化圏によって大きく異なります。現代では、多くの文化圏において排泄はプライベートな行為とされ、他人の排便行為を窺い見ることは、成人のあいだでは忌避されます。例えば、現代の公衆便所では、男性用の小便器を別として、他人に見られないように個室に仕切られているものが大半です。

しかし、古代ローマの公衆便所には、たくさんの穴が開いた長い石の板があるだけで、まったくプライバシーはなく、市民らは並んで腰かけて用を足しながら談笑していたものと思われます。21世紀の中国でも、個室で仕切られておらず、同時に入った利用者は互いの排便を見る形態の公衆便所が大部分です。

糞尿処理

また、排泄した糞尿の処理も、時代や地域によって大きく異なります。例えば、18世紀以前のフランス・パリの街は糞尿まみれだったと言われます。

当時のフランスではトイレが普及しておらず、貴族も庶民も「オマル」で用を足し、その汚物を道端に捨てていました。建物の上から「Gare à l'eau!（お水に注意！）」と聞こえたら、窓から糞尿が降ってくるという意味であり、通行者は逃げ惑いました。

① トイレ設置令

王室も同じことで、ヴェルサイユ宮殿の庭で人々はところ構わず糞を垂れていたのです。当時の上流夫人のパニエ（釣鐘形のスカート）は、一説には他人の目を余り気にせずに楽に排便できるためであったとされます。

この状況を変えるため、1608年に国王アンリ4世が「家の窓から糞尿を夜であっても投げ捨てない」という法律を制定しました。その後1677年、初代パリ警察警視総監ニコラ・ド・ラ・レニー（フランス語版）が「1ヶ月以内に街中の家の中にトイレを設置すること」という命令をトイレ業者に勧告しました。しかし状況は改善されず、100年後の1777年にルイ16世は「窓からの汚物の投げ捨てを禁止する」という法令を再度制定しました。しかし、これも効果は薄く、パリの街が腐敗臭から逃れたのは、19世紀半ばのナポレオン3世の時代になってからとされています。

② 夜の正装

このような状態ですから、夜のパリの街を歩くのは大変に危険です。いつ何時、空から「トンデモナイ物が降ってくる」のかわからないのです。そのため、当時の

●ヴェルサイユ宮殿

人は夜、外へ出るときは黒いつば広の帽子をかぶり、長く大きい黒マントを羽織っていました。

モーツアルトが最晩年（と言っても36歳ですが）に名曲「レクイエム（鎮魂曲）」を書いたことは有名ですが、これはある人に頼まれたからです。その人は夕暮れ時に黒い帽子に黒マントという姿でモーツアルト家を訪れ、「死者のための曲」ともいうべきレクイエムの作曲を依頼したのです。

モーツアルトは、『この依頼者は「あの世」から来た人ではないかと思い、霊感に打たれてこの名曲を書いた』とする伝記がありますが、たぶん、この伝記の作者、もしくは訳者は当時のヨーロッパのトイレ事情を知らなかったのでしょう。

糞尿と歴史

糞尿に関する意識や習慣の違いは、文化人類学や社会学、歴史学などの考察の対象ともなっています。

同じ文化圏内においても、年齢や性別によって便に対する意識は異なります。哲学や心理学においては、人格形成や、人間心理における排便行為や糞尿の意味付け、機能等が主要な考察の主題の一つとなっています。一般に乳幼児は成人より忌避意識や羞恥心が弱く、例えば糞尿を題材にした発言をすることが成人よりも多く見られます。

① やんごとなき所

糞尿は、汚物として忌避の対象であるゆえに、反社会的行為や嫌がらせ、派閥の離脱などのために利用されることもあります。

例えば、「古事記」「日本書紀」には、須佐之男命《すさのおのみこと》が姉の天照大神《あまてらすおおみかみ》を訪ねた高天原《たかまがはら》で行った乱行のひとつとして、御殿に糞を撒き散らしたとの記載があります。また、「源氏物語」の桐壺《きりつぼ》の巻では、帝の寵愛を一手に受けた桐壺の行為に対する嫌がらせとして、渡殿（渡り廊下）に糞尿が撒き散らされました。

神様の住まいや天皇の御所においてさえこの調子なのですから、一般庶民の暮らしでは、糞尿は今よりずっと身の回りの物だったのでは無いでしょうか？　夫婦喧嘩などでは今なら茶碗が飛ぶと表現されますが、当時はもっと、トンデモナイ物が飛び交ったのかもしれません。まさしく「イヌも食わなかった」ことでしょう。

②占い

また、糞を占いの対象とする事例や、不運や病気、あるいは逆に富貴や幸運の予兆や象徴とする例もあります。中世の日本では、鳥獣に糞をかけられた際に、陰陽師に占わせていたことが「吾妻鏡」に見られます。例えば、将軍の衣に鳶《とび》の糞がかかったため、陰陽師に占わせたところ、病事に注意がいると伝えられたと言います。また、イヌの糞が御所の常御座の畳の上にかかったため占わせたと記されています。

③文学

一方で、糞尿は笑いや文学・芸術の題材・対象でもあります。糞尿に関する説話などは「糞尿譚《ふんにょうたん》」と呼称され、火野葦平は同名の小説で芥川賞を受賞しています。演芸において、糞尿を題材にしたものは下ネタと分類され、漫画やアニメなどのサブカルチャーメディアには、糞便を主題としたり、主題としないまでも決まりネタとして登場する作品も多く、円錐状にとぐろを巻いた「記号化された糞」が用いられます。

SECTION 09

糞害

動物の糞は、糞害として社会問題化することがあります。SDGsのグローバル目標の中には社会の安全、衛生、保健も入っています。不潔、不衛生、感染症の原因になりかねない、糞尿を衛生的に処理、保管、廃棄するのは社会の大切な役割の一つです。

イヌの場合

現代の都市では、ペットのイヌの糞の放置が社会問題となることがあります。この問題の処理として、パリでは、イヌに糞をさせるための場所を路上に設置し、簡易バキューム機を搭載したオートバイによる清掃隊を配置しています。また、ロンドンでは、公園などに飼い主が回収した糞を入れるための、専用の汚物入れを設けています。

日本では、イヌの飼い主は散歩の際にビニール袋やポケットティッシュを持参するなどして、飼いイヌの糞を回収することが求められます。条例により、イヌの糞を放置することに罰金などを設ける自治体もあります。

ネコの場合

ネコは習性として、柔らかい土を掘り返して排便し、終わった後は土を掛けて隠します。また、イヌとは異なり、放し飼いにされるほか、飼い主のいない野良ネコもいるため、ネコが花壇や、児童が遊ぶ砂場などに用便してしまい、衛生上の観点や心情的な観点から、地域の問題となっていることがあります。

子供の遊ぶ砂場では、ネコやイヌの持っている寄生虫（猫回虫など）による被害を防止するため、児童の居ない時は砂場にビニールシートを被せたり、定期的に加熱消毒するなどの措置を行う所もあります。

鳥の場合

カワラバトは食料さえ豊富なら、年5、6回の繁殖が可能で、また大きな群れを作ることでも知られています。そのため、ハトの密集地では、糞害がしばしば問題となります。糞害などの対処策として、ハトそのものの生息数の減少、特に餌やりが禁止される事例があります。

例えば、広島平和記念公園では、1994年よりハトの餌の販売中止と餌やりの自粛を呼びかけ、その結果、ハトの生息数を1／5に減少することに成功したといいます。また近年、ムクドリが何千何万羽単位で大通りの街路樹を寝ぐらにすることによる糞害も深刻です。例えば、JR新松戸駅周辺のけやき通りではムクドリの糞害が深刻で、初夏から晩秋にかけてのムクドリのシーズンでは周辺の商店の客足が遠のくといいます。鳥のさえずりが聞こえる街角は魅力的ですが、鳥も生物です。排泄行動は仕様が無いことかもしれませんが、何とか両立できる工夫はないものでしょうか。

公園の銅像も糞害にあいますが、中にはハトやカラスが全く寄り付かない銅像も存在するそうです。調べたところ、銅像の化学成分にヒ素Asの含有量が多いと鳥を忌避する効果があることがわかったそうです。鳥の忌避剤として利用できそうですが、ヒ素の毒性も気になります。

SECTION 10

糞便と感染症

海外には日本より衛生状態の悪い国も多く、生水や生の食品が病原体や寄生虫に汚染されていることもあります。また生活様式に馴染みのない旅行者はストレスが多く、病気に対する抵抗力が弱くなることもあります。

安全のためにも、生水や氷入りの飲料、生魚、生肉、生野菜などを口にしないようにしましょう。たとえ、水道の水でも安心して飲めるとは限りません。十分に加熱された水や食品を衛生的な場所で飲食するようにすべきです。

人間↑↓人間

① コレラ

コレラは菌が体内に入って1〜5日ぐらいで発病します。コレラ菌はコレラ患者や保菌者の排泄物(便、吐物)で汚染された水や氷、食べ物などの経口感染や、ハエ、ゴキブリなどの媒介によって感染します。

症状はまず下痢がはじまります。下痢は次第に激しくなり、米のとぎ汁のようになります。嘔吐もありますが腹痛は激しくありません。長引くとからだの水分が失われ、体力を消耗します。旅先で下痢をしたら、まずコレラを疑った方がよいでしょう。

② 細菌性赤痢

感染して1~5日で発病します。赤痢菌保持者の排便後の手指の不十分な洗いかたや、その便がハエ、ゴキブリ、ネズミ

●コレラ菌

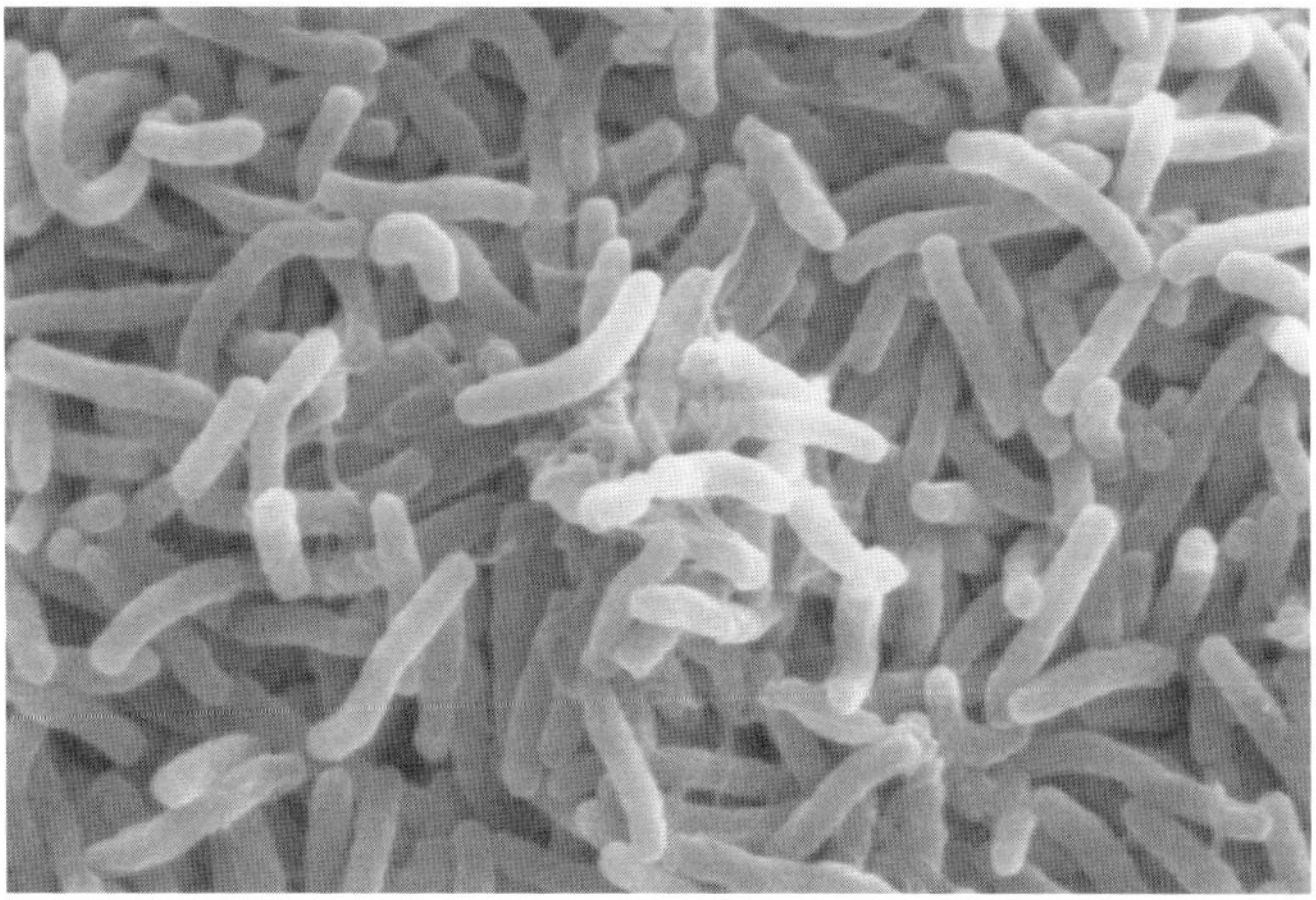

などによって飲食物を経て感染します。

初期には、かなりの高熱が1～2日出て、下腹部が痛みはじめ、便意があります。やがて、便は水のようになり、粘血がまざり、下痢は激しく、排便回数が増えます。特に子どもにとっては著しく体力を消耗する病気なので気をつけなければなりません。

③ 腸チフス

感染は腸チフス菌保持者の排便がハエ、ゴキブリ、ネズミ、あるいは保菌者の不潔な手などによって食品などに付着し、それらを口にすることによって感染します。

はじめの症状は、まず身体がだるく、熱っぽくなり、風邪のようになります。4～5日後には頭痛をともなう高熱におそわれ、食欲がおちたり、皮膚に赤い斑点(バラ疹)が出たりします。

④ A型肝炎

A型肝炎ウイルスは患者の便から出て、ハエ、ゴキブリ、ネズミなどによって食品や水が汚染されて感染します。二枚貝が原因になることもあります。

1カ月程度の潜伏期間ののち、発熱や黄疸、肝腫大などの肝症状が現れます。初期に熱が出るため、風邪と間違えられることもあります。また近年では食品とは関係なく、患者との接触による感染が問題となっています。

野生動物⇅人間

① トキソプラズマ症

世界中で広く分布している寄生虫で、ネコ科動物の糞便中に排出されたオーシスト（感染型）を摂取することで感染します。

感染したネコがオーシストを排出するのは初感染後数日からおよそ2週間の間で、排出されたオーシストが成熟して感染する能力を持つには、少なくとも24時間必要とされているため、糞便の処理を毎日（24時間以内で）行うことで、感染力のあるオーシストとの接触を避けることができます（このときトイレ容器は熱湯で消毒することをお勧めします）。したがって、妊娠を理由に飼いネコを処分する必要はありませんが、ネコの糞便の処理はできれば妊婦以外の人が行うようにし、動物と触れ合ったあとは石鹸で手洗を忘れないようにしなければなりません。また、肉類を生で食べたり、不十分な加熱でも感染することがあることから、肉類を生で食べることは避けて、十分な加熱を行う必要があります。

②サルモネラ症

哺乳類、鳥類、は虫類などが腸管内に健康保菌することが知られており、動物との接触を通じて感染して発症することがあります。発熱、下痢、嘔吐、血便などの症状を示します。は虫類などの動物を触ったときには十分な手洗いを行うこと、イヌやネコに生肉を与えないことが感染予防となります。

●サルモネラ菌

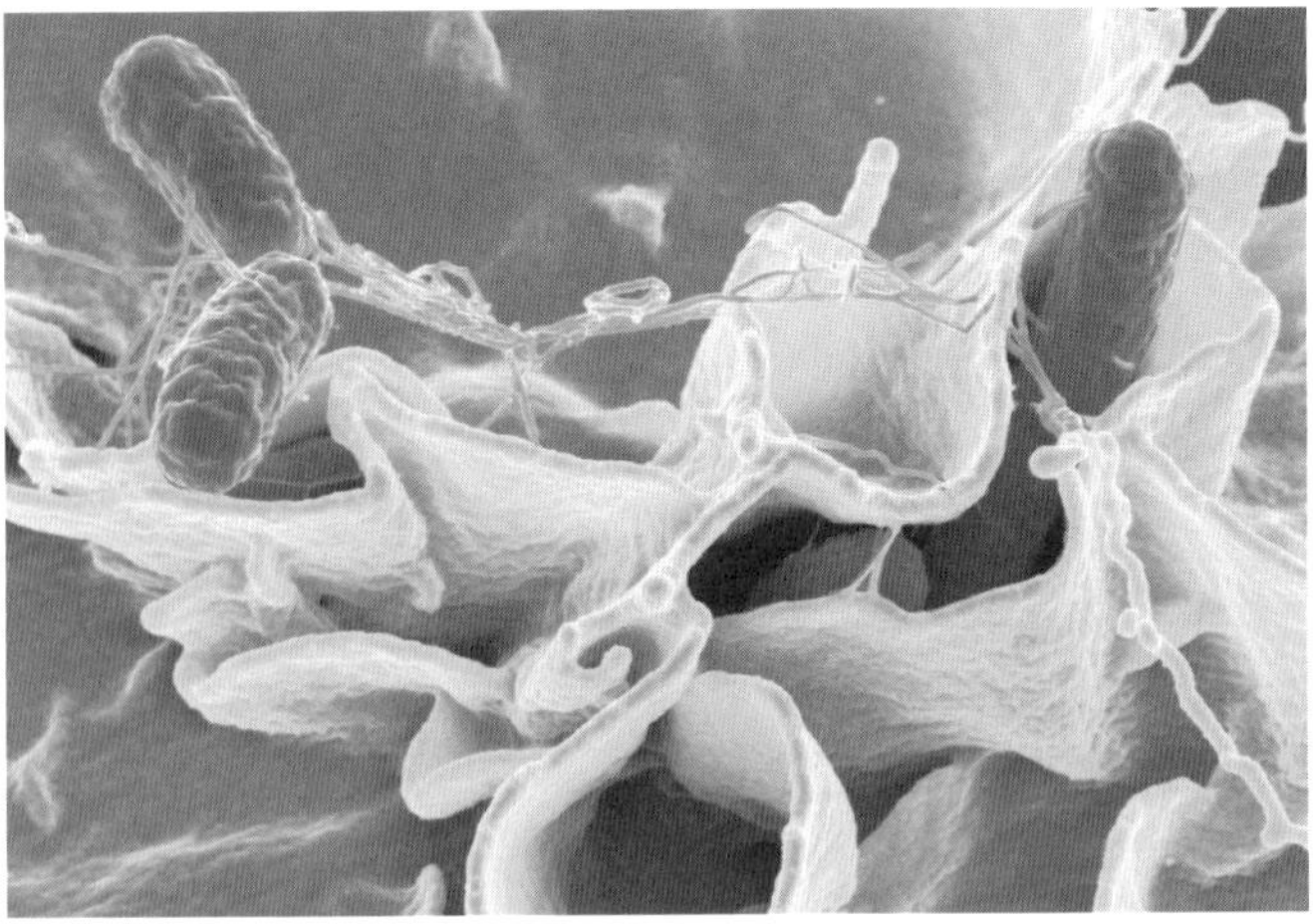

③ カンピロバクター症

家禽、家畜、ペット、野生動物などが腸管内に保菌するカンピロバクター菌が原因で、発熱、下痢、嘔吐、血便等の症状を示します。イヌやネコに生肉を与えないこと、特に鶏肉はカンピロバクターに汚染されていることが多いので与えないことが予防となります。

④ オウム病

オウム病クラミジアを病原体とし、鳥類の糞に含まれる菌を吸い込んだり、口移しで餌を与えることによっても感染します。症状は風邪や肺炎によく似た呼吸器症状となります。早期に診断し、有効な抗生物質(テトラサイクリン系等)を投与すれば回復しますが、重症になると呼吸困難・意識障害などを起こし、診断が遅れるとまれに死亡する例も報告されています。

SECTION 11

糞尿と腐敗

糞尿と腐敗は本質的には関係ありませんが、糞尿と腐敗物は同じように嫌われ、不衛生で汚い物と考えられがちです。それは、糞尿は細菌にとって養分豊かな物であり、そのため、放置するとすぐに腐敗して腐敗物となるということによるのかもしれません。道路の隅に転がるペットや野生鳥の糞はやがて腐敗し、乾燥して砕けて無くなります。

腐敗と発酵

私たちの周囲には細菌がウヨウヨしています。細菌はその名前の通り細かい菌であり、菌は生き物、生物の一種です。そのため、微生物と呼ばれることもあります。一般には黴菌《ばいきん》とも呼ばれます。しかし、一般にバイキンという場合には微生物のほかにウイルスを含みますが、ウイルスは生物ではないので、細菌や微生物とは違います。注意が必要です。

生物である微生物は自分で餌を見つけて食べて消化し、代謝してエネルギーを生産しなければ生きていけません。つまり、微生物は栄養分である有機物に取り付いてそれを分解してエネルギーと分解生成物を生産します。

この分解生産物には納豆やヨーグルトのように、人間の役に立つ物と、役に立たないどころか害になることもあります。微生物が有機物に働いて人間の役に立つ物を生産したとき、この働きを「発酵」といいます。それに対して、役に立たない場合には「腐敗」といいます。ですから、発酵も腐敗も微生物にとっては同じ働きであり、ただ、人間の役に立つか立たないかで人間が勝手に決めているだけの話しです。

腐敗か？　発酵か？

野生動物が死ぬと、有機物の塊となり、有機物は微生物にとって養分の塊ですから、微生物が取り付いて分解します。この分解生成物を人間が食べたり、利用したりすることはありませんから、微生物のこの行動は発酵ではなく、腐敗ということになります。しかし、微生物が野生動物の死骸を分解してくれなかったらどうなるでしょう？

日本中にシカやイノシシやクマやナウマン象やマンモスや恐竜の死骸がゴロゴロしていることになります。それどころか、ご先祖様たちの死骸もゴロゴロしていることでしょう。

そうならずに、地上がこのように整理されて清潔を保っていることができるのは微生物の行う「腐敗」という働きのおかげなのです。してみれば「腐敗」も結局は人間の役に立っている働きであり、つまり「発酵」の一種ということになります。

とにかく、地上にいる無数の生物が排泄する糞尿がいつの間にか姿を消して、土に帰っているのは微生物の働きのおかげなのです。

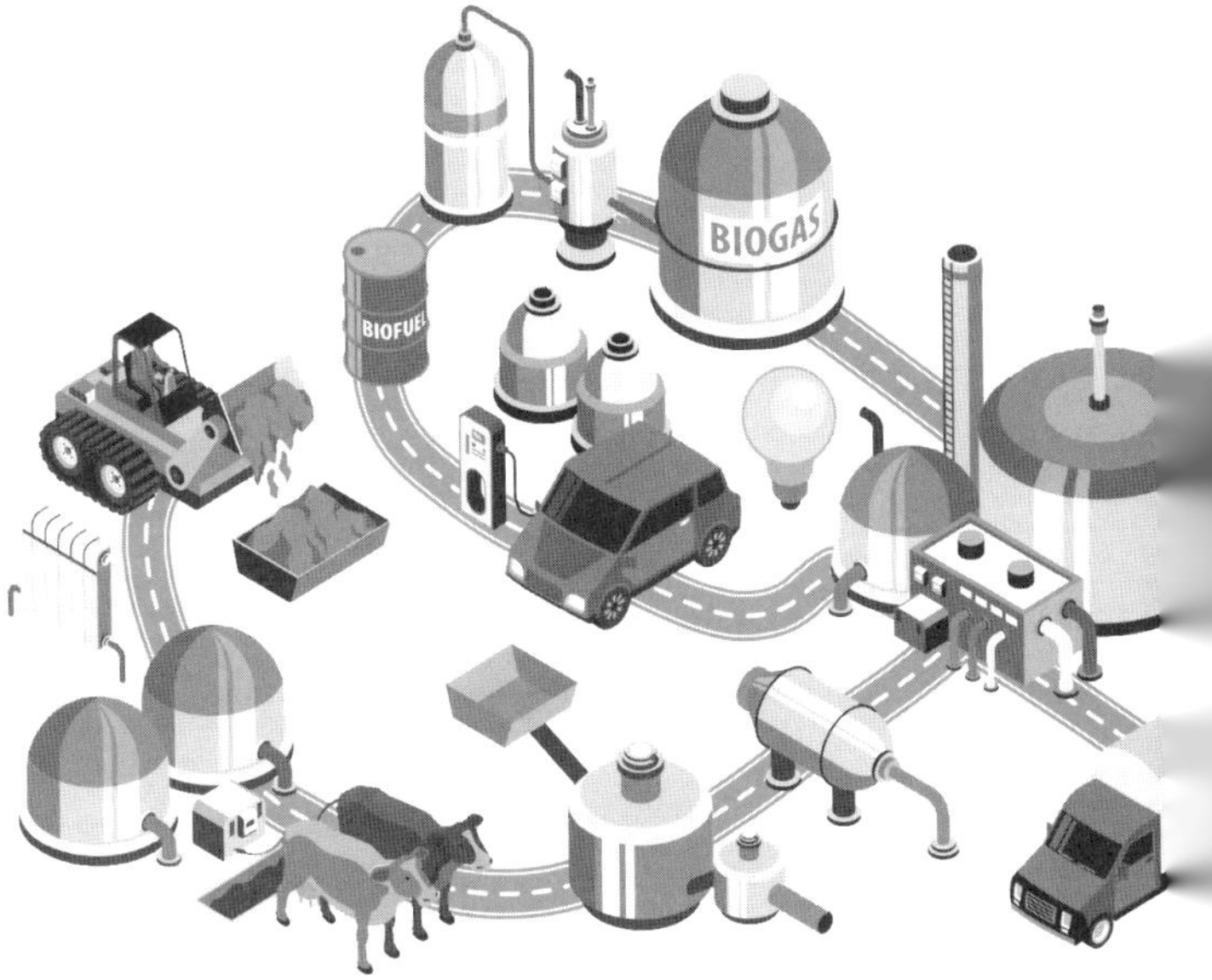

Chapter.3
バイオエネルギー生産

SECTION 12

燃料

日本人にとって糞尿の利用といえば、まず肥料を思い出しますが、チベットの牧畜民にとって糞といえば、まずは燃料です。牧畜民にとって、大げさに言えば家畜の糞は財産の一部のような物で、おろそかにはできません。最大限に活用しなければなりません。糞は乾燥させ、ヤクやヒツジのものは燃料用に、馬のものは土と混ぜて建材用に使います。

湿ったヤクの糞は、現在でこそ使用頻度が減ったようですが、昔は粘土のよう

●ヤク

に加工して家畜囲いや貯蔵庫などの部材として使ったりしていました。こうした家畜の糞の中でも、ヤクの糞は燃料用に加工して活用されることが多いようです。

燃料糞の加工

ヤクの糞はそのまま放置して乾かすわけではなく、湿気った状態で加工します。加工の仕方によって名前が異なります。小さな塊にしたものは「ツァブルク」、薄く伸ばしたものは「コホク」といいます。コホクは薄く伸ばすため、すぐに乾いて燃料にできるので、夏のキャンプ地などでよく作られます。

ちなみに糞はたいして臭くありません。加工して乾燥した糞にいたっては、ほぼ無臭となります。チベットでは、よく家の真ん中に燃料糞入れが置かれていますが、臭いはまったく気になりません。

①燃料糞の作り方

まずは、地面に落ちている糞を拾い集めます。籠を背負い、熊手で拾い上げた糞を籠に投げ入れます。小さなリヤカーを置き、そこに放り入れていくやり方もあります。

糞がたまったら、糞の乾燥場に運んで行き、広げます。糞を手でつかみ、地面に投げつけながらさらに広げます。この作業はすべて女性の仕事です。

ツァブルクは一週間ほど放置すると乾燥します。乾燥したら、糞の山（オソン）として積み上げておき、ある程度まとまったら、オンラという名で呼ばれる燃料糞の山に積み足していきます。オンラは長期にわたって使うため、雨に濡れないようにビニールシートをかけ、さらに湿糞で塗り固めます。

●燃料糞の山

② 燃料糞の利用

燃料糞は、他の燃料に比べて燃えやすいです。かまどにくべてもすぐに燃え尽きてしまうので、頻繁に補充しなければなりません。毎日、燃料糞をオンラから掻き出し、燃料糞運搬用の袋に入れ、袋を背負ってテントに運びこみます。家庭によっては燃料糞を毛織の大きな袋に入れたものをテントの中に並べておき、そこから少しずつ出してかまどに投入します。

ヤクの毛で織った黒テントでの暮らしでは、手作りのかまどが使われていましたが、最近は急速に普及した帆布製の白テントや土の家での暮らしでは、鉄製のストーブに置き換えられました。しかし、ライフスタイルが変わっても、燃料は相変わらずヤクの糞が用いられています。

町で暮らす人々は牧畜民から燃料糞を購入します。近年は「黒いダイヤ」と称される燃費のよい石炭が普及して、町では燃料糞と石炭を合わせて使うことが増えてはいますが、牧畜が続く限り、燃料糞の活用は続いていくことでしょう。

SECTION 13

メタン発酵

これまでの人類は石炭や天然ガス、石油などの化石燃料のエネルギーを利用してきました。しかし、化石燃料は燃えると地球温暖化の原因となる二酸化炭素CO_2を発生し、その上、いつかは枯渇してしまいます。いま人類は、クリーンで環境にやさしい新たなエネルギーを発見することを求められています。

バイオマス資源

そこで注目されているのがバイオマス資源の有効活用です。バイオマス資源とは、再生可能な生物由来の有機性資源のことです。生命と太陽エネルギーがある限り持続的に再生可能と言えるものがバイオマス資源であり、その特徴は、それが利用過程でCO_2を放出しても、もともと大気中のCO_2を吸収してできたものであることから、化石燃料の代替燃料として利用することで、CO_2の排出削減に貢献できる点です。

廃棄物となったバイオマスの利用に関しては、飼料化および肥料化による再利用のほかに、メタン発酵、水素発酵による生物学的なエネルギー回収技術により、エネルギー化する方法があります。メタン発酵法は下水汚泥、屎尿、生ゴミ、食品廃棄物等のバイオマスからメタンガスとしてエネルギーを回収する方法で、すでに実用化されています。

一方、後に見る水素発酵により得られる水素は燃焼時にCO_2を排出しないクリーンなエネルギー源であるばかりでなく、化学工業、航空産業をはじめ多く

●バイオガスプラント

の分野において、きわめて広い用途を有し、単位重量当たりの発熱エネルギーは石油の約3倍もあり、次世代の有力なエネルギー源の一つとして注目されています。また、水素自動車や水素電池などの新製品の開発も注目を浴びています。

メタン発酵とは

糞尿を発酵させると発生するメタンガスは、燃やすと発電に使用できます。現在、世界中で牧場の電力を糞尿発電で自給自足する活動が広がっています。また、日本国内では家畜排泄物管理の規制強化に伴い、鶏糞を燃料とする火力発電が宮崎県などで行われています。

メタン発酵は、酸素の存在しない嫌気性条件下で働く嫌気性細菌により、下水汚泥、家畜の糞尿や生ゴミ・廃油などの有機廃棄物を分解し、メタンCH_4と二酸化炭素CO_2から成るバイオガスと、消化液（発酵残渣）に分解することを言います。

バイオガスは発電や熱利用のほか、バイオメタン生成、バイオメタン燃料など多岐にわたる用途があり、消化液は肥料として農地などに活用されます。

メタン発酵の主な過程は、次の４段階からなります。

❶ **加水分解**
❷ **酸生成**
❸ **酢酸生成**
❹ **メタン生成**

メタン発酵は、湿地等の生態系においては自然に行われていますが、温度・防水・嫌気性・低圧力などの反応条件を管理した発酵槽を用いることで、人為的に操作して行うこともできます。

① 発電に利用

下水汚泥、家畜の糞尿や生ゴミ・廃油などの有機廃棄物を、嫌気性環境で発酵させてメタンガス（通称バイオガス）を生成し、そのバイオガスを燃

●メタン菌

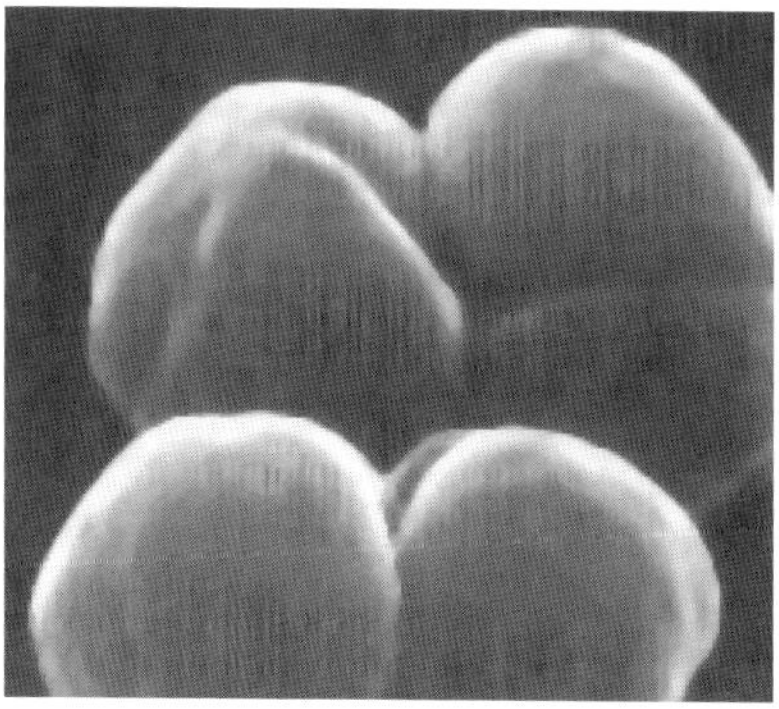

料にして、発電機のタービンを回して発電します。

②ガス直接利用

生成したバイオガスを精製圧縮後に、メタン含有率95％以上のバイオメタンを生産し、ガス系統に注入することで液化・乗用車専用燃料、ボイラー燃料、水素に活用することが可能になります。

③バイオガスの成分

バイオガスの組成は純粋なメタンが約60％、残りの約40％は二酸化炭素で、その他微量成分として含まれるのは硫化水素H_2S、水素H_2、窒素N_2などです。猛毒の硫化水素が含まれるため、バイオガスの使用に際しては脱硫処理が必要となります。

発熱量は1㎥あたり5000～6000キロカロリーであり、都市ガスの5～6Aの規格に近いので同等の燃料として利用できます。

バイオガスの生産量

牛や豚1頭の1日当たりのバイオガス生産量は、中温発酵の場合、牛が700～1300L／頭・日、豚が150～250L／頭・日といわれていますが、飼料成分の向上やメタン発酵技術の進歩によって、より多くなる傾向にあります。鶏の糞は、水分が少なく、窒素や無機物が多いのでメタン発酵にはあまり利用されません。

日本には乳牛約70万頭、豚約970万頭が飼われています。肉牛280万頭はメタン発酵に適さない飼養方法なのでここでの試算に入れません。すると、乳牛・豚両方合わせて、年間約13億㎥、東京ドーム約1000杯分になります。発熱量で比較すると石油65万kLに相当します。これは日本の年間石油消費量の0・16％にあたります。

メタン発酵法の課題

家畜糞尿のメタン発酵は研究も進んでおり、歴史あるエネルギー生産技術ということができます。しかし、欧州と比較すると、日本のメタン発酵処理はいくつかの課題を抱えています。バイオガスシステムを日本で成立させるための課題の1つはバイオガスのエネルギー利用に関する条件であり、2つ目はメタン発酵後の処理液の液肥利用に関する問題です。

① エネルギー利用

欧州と比較して、バイオガスなど自然エネルギーに対する政策的な違いがあります。さらに、欧州には地域の熱供給システムがあり、メタンガス発電の売電が日常化しているなど、エネルギー利用の実践に優れています。

② 燃料の改質

家畜糞尿だけではバイオガスの発生量が少ないので、欧州では他の原料(食品廃棄物、屠場廃棄物など)を添加してガス増産を図っています。この場合、地域全体の有機廃棄物リサイクルシステムの確立が不十分な日本とは差があることになります。

日本国内でも最近、家畜排泄物管理の規制強化に伴い、鶏糞を燃料とする火力発電所による発電事業が宮崎県などで行われています。

メタン発酵の新たな展開

メタン発酵法は進歩を続けています。最新の方法を紹介しておきましょう。

① グラニュール法

メタン発酵法の効率を上げるために、グラニュール（高密度のメタン細菌の塊）を利用した、上向流嫌気性汚泥床法（ＵＡＳＢ法）によって、豚舎汚水の処理に効果を上げています。

② 乾式メタン法

豚舎汚水と古紙などを原料とする低水分バイオマスに、乾式メタン発酵を行い、小さい容積の発酵槽から効率よくバイオガスを発生させ、残渣から炭素を生産しています。

SECTION 14

水素発酵

最近、熱い視線を注がれているエネルギー源が水素H_2です。水素の生産に関しては、水の電気分解や天然ガスの熱分解など既に実用化されている技術があります。

水素発酵とは？

その中で、メタン発酵によって生産されたメタンを水素に改質し、燃料電池に利用する方法が検討されていますが、改質には多くのエネルギーを消費します。これに対して、水素を有機性廃棄物から直接回収できれば、廃棄物の処理と同時に水素という有価資源の回収にも貢献できることになります。そこで、注目されたのが、微生物を利用して有機性廃棄物から水素を生産するという水素発酵法です。

好気性細菌と嫌気性細菌

微生物には、生活するために酸素を必要とするタイプと、必要としないタイプがいます。酸素を必要とするタイプを好気性細菌、酸素を必要としないタイプを嫌気性細菌と呼びます。

嫌気性細菌は、有機物を食べて生きるためのエネルギーを得る一方、その過程でメタンや水素などのさまざまな物質を生成します。これを発酵と言います。

① 光合成細菌と非光合成細菌

水素をつくることができる微生物は、生育に必要なエネルギーを光に依存する光合成細菌と、有機物に依存する非光合成細菌に大別されます。

どちらの細菌も嫌気性細菌ですが、その中で非光合成嫌気性細菌（以下は嫌気性細菌と呼ぶ）による水素発酵では、光を必要としないばかりでなく、有機性排水・有機性廃棄物などを原料として用いることも可能なので、水素発酵とともに排水・廃棄物の処理も同時に行える利点があります。

② 水素発酵

微生物の発酵作用で生ゴミから直接水素を作る方法はメタン発酵に比べて難しい点が多いのですが、有効に働く微生物群の様子を解析した結果、反応時間、温度、pHなどを適切に調節することで「クロストリジウム属」と呼ばれる嫌気性細菌が効率的に水素発酵を行うことが明らかになりました。また、生ゴミからの水素の生成には酢酸等の有機酸の生成が伴うことから、水素発酵の後段にメタン発酵を設置し、有機酸をメタンに変換することで、さらなるエネルギー回収が可能となります。

現在、食堂残飯から水素・メタンエネルギーを回収するミニプラントが茨城県で稼働しています。それによれば、ゴミから効率的に水素・メタンガスを回収することが可能であることがわかってきています。

さらに、水素発酵やメタン発酵による水素、メタンの回収に加え、その後に残った残渣から窒素やリンなどの環境汚染物質を除去し、堆肥などへ利用することや、水域へ環境負荷を与えずに下水に流せるようにする技術の開発など、関連技術の開発も進んでいるといいます。将来が楽しみな技術開発です。

SECTION 15

エタノール発酵

バイオエタノールとは、サトウキビやトウモロコシ、木材などのバイオマスを発酵させて製造するエタノールのことです。

バイオエタノールとは?

バイオエタノールの原料は主に、トウモロコシやサツマイモ、ムギ、タピオカなどのデンプン質原料と、サトウキビやテンサイなどの糖質原料です。

これらの植物に含まれる糖分を微生物によって発酵させ、蒸留してエタノールを作ります。石油などから作られる合成エタノールと、物理化学的性状はまったく同じです。

①原料の問題点

日本では、地域資源の活用と地域の活性化、循環型社会の形成を絡めて、さまざまな原料を用いたバイオエタノール生産の実証試験が進められてきました。

デンプン質原料や糖質原料からは、比較的簡単な工程でエタノールを取り出すことができますが、原料となるトウモロコシやサトウキビは食料でもあるため、燃料としての消費が増えた場合、食料価格の高騰を招くという問題があります。

②セルロース原料

この問題を避けるため、セルロース系原料を利用する第2世代バイオエタノー

●バイオエタノールのセルロース系原料

ルの開発が進んでいます。木材や藁など、食用ではないバイオマスを原料とするため、食料との競合が発生しません。セルロースは簡単に分解できないため、工程は複雑になりますが、発酵による生化学プロセスや、ガス化・合成による熱化学プロセスなどが考えられています。

牛糞や馬糞には、未消化のセルロースが存在します。将来、このような糞を原料にしたバイオエタノールが実現するかもしれません。

次世代バイオエタノール

さらに、藻類などを原料とする第3世代バイオエタノールの研究開発も進んでいますが、こちらは低コスト化が大きな課題となっています。また、バイオブタノールも次世代バイオ燃料として注目されています。エタノールはガソリンに比べて熱量が小さく、高い燃費効率が得られないという問題がありましたが、ブタノールの熱量はガソリンに近く、この問題がほとんどありません。エタノールのような吸湿性も無く、ガソリン以外に、軽油にも混合して利用することができます。

SECTION 16

最新の糞尿燃料

糞尿には未消化の有機化合物が豊富に含まれています。有機化合物は炭素の宝庫であり、燃料の宝庫でもあります。炭素を燃やせばエネルギーも出ますが二酸化炭素も発生し、地球温暖化などの厄介な問題が発生します。

しかし、糞尿の有機化合物はつい数日前に食料として食べられた植物であり、それが燃えて発生した二酸化炭素は次の世代の植物が行う光合成の原料として消費され、直ちに草食動物の餌となって次世代の糞尿となり、次世代の燃料となります。つまり、糞尿は再生可能なエネルギー原料の宝庫なのです。

臭いとか、不衛生等の濡れ衣を着せて葬ったのでは、「糞尿の仏罰」が当たるという物です。ということで、懸命にその利用を研究し、斬新な利用法が開発されようとしています。そのいくつかをご紹介しましょう。

プラズマ利用

米国Solena社が取り組みを開始したある施設では、プラズマガス化という処理方法を通じて、ゴミや樹皮、さらに家畜の糞などからジェット燃料を製造することを目指しています。この施設では、約5000℃に達するプラズマアークを使って、ゴミを分解して気体燃料にします。この気体燃料はその後、飛行機の燃料に適した液体へと変換されます。

プラズマガス化と気体から燃料へと変換する処理において、大量のCO_2が環境へ排出されますが、埋め立てゴミが分解される際に発生するCO_2の量や、このまま石油ベースの航空機燃料に依存し続けることと比較すると、ほとんど問題にならないといわれます。

また、プラズマアークから生成されるエネルギーが、設備の動力としても利用されるので、自律的なシステムになると見込まれています。Solena社は、この燃料製造施設を近々建設する計画といいます。この施設は、カリフォルニア州の大手ゴミ収集企業から、家庭ゴミの安定した供給を受ける予定と言います。

高温高圧法

米パシフィックノースウェスト国立研究所ＰＮＮＬは、一般家庭のトイレから排出される大量の人糞を処理することで石油を合成する新しいバイオ燃料生成法を開発したといいます。

ＰＮＮＬによる新しいバイオ燃料生成法は、人糞を２００気圧３００℃の高圧高温環境下に置くことで石油に変性させるというものです。石油の起源にはいろいろの説がありますが、最近の惑星紀元説によれば、石油は惑星が誕生するときに、その内部に貯えられた有機物が高温高圧の環境に晒されることにより、炭化水素へと変化した結果できたものと考えられています。

ＰＮＮＬの手法はいわば、地球の自然環境で石油が生成される過程を実験室内（プラント）内でそのまま再現することで、「人糞 ＝ 有機物を石油 ＝ 炭化水素」へと変性させるというものと考えることができます。ＰＮＮＬではこの新しいバイオ燃料生成法の本格的な実験プラントを建造することで、実用試験に移行することを予定しているといいます。

この手法の有効性が確認された場合、毎日家庭から排出される下水はエネルギー資源として再利用することが可能となり、より完全なリサイクル社会の構築に向けて、大きな前進を遂げることとなることでしょう。

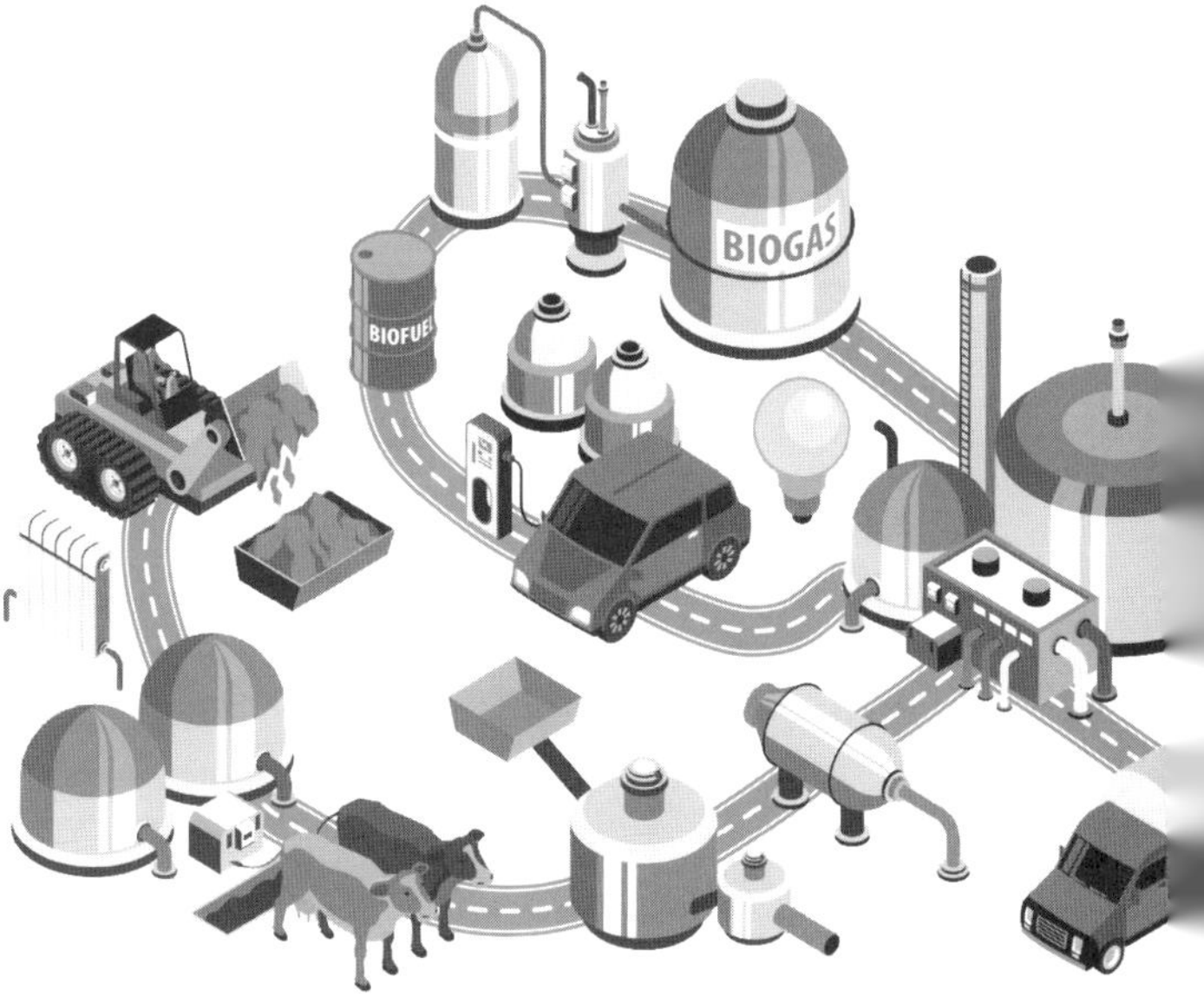

Chapter. 4
肥料・堆肥としてのエネルギー

SECTION 17

肥料生産

糞には植物の三大栄養素の一環として知られる窒素NやリンPなどが含まれており、生態系の循環の中で植物の栄養源となります。また、鶏糞、牛糞、人糞などは人間の手によって、肥料として利用されています。

動物・家畜の糞

鶏や牛などの家畜の糞は、肥料として活用されてきました。多くの場合、人間が直接手を下さなくても、家畜を自然に放牧することによってその排泄物は植物や作物の肥料となってきました。

家畜の放牧地は区画ごとに交代で畑として利用され、放牧地であった時の家畜の糞が、そのまま肥料となります。放牧が乏しい今日の日本では、オガクズや藁と混ぜて、専用の発酵施設で臭気を抑えつつ肥料にして利用します。これらの有機肥料を使った農作物は、自然回帰のブームなどにより、近年の無農薬栽培や低農薬栽培などと並んで、高価な値段で出回っており、栄養豊富で味も良いと好評を博しているようです。

南米ペルーや太平洋の島嶼などでは19世紀中頃まで、海岸沿いに生息するグアナイウという海鳥の糞が堆積し化石化してできたグアノが、窒素やリンを採取する資源として大量に利用され、ヨーロッパに輸出されて、国の収入源になっていました。しかし、ナウルなど一部の産地では、海鳥由来の良質なグアノは採掘し

●グアノ

尽くされ、資源として枯渇してしまいました。近年では、洞窟などに密集して居住するコウモリの糞のグアノ化したものが「バット・グアノ」などの名称で、観葉植物用高級肥料として利用されています。

人糞

日本の江戸時代では、肥料用の人糞が金銭で購入され、発酵処理のうえで金肥《きんぴ》（かねごえ）として流通しました。

しかし、人糞を肥料として用いるのは、世界的に見ると一般的なものではありません。多くの国・民族において、人糞を人間の食料を生産する畑に投下することは忌避されてきました。例えば明治時代に北海道に住むアイヌ民族がなかなか農業に馴染まなかったといいますが、その最大の問題は人糞を肥料に用いることであったと言われています。

しかし他の東アジア地域では、伝統的に人糞を肥料として利用してきました。人糞を肥料として用いたことが確認される最初の例は、鎌倉時代の日本と言われます。これ以降、都市部の人糞を農家が回収するシステムが生まれ、このため、日本の都市は世界的にみて、清潔なものとなったと言います。

江戸時代には、その人糞を出す階層により、その価値が違い、栄養状態のよい階層（最上層は江戸城）から出された人糞は、それより下の階層（最下層は罪人）が出す物より高い値段で引き取られたようです。江戸城から出る人糞は、葛西村の葛西権四郎が独占しており、長屋にはこれらの肥料原料を効率良く収集するために共同便所が設置され、ここから得られた肥料で城下町周辺部の農地は大いに栄え、町民に食料を供給し続けたといいます。

明治期以降においても人糞は貴重な肥料であり、高値で引き取られました。そのため、学生などが下宿する場合は、部屋を複数人以上（具体的人数はその時の取引相場で異なる）で共同で借りた場合は、部屋の借り賃が無料になることもあったといいます。

農民が直接人糞を引き取る形態は、バキュームカーや下水道が普及したことや、寄生虫等の衛生上の問題もあり、昭和後期以降において廃れることになりました。しかし、現在も下水の汚泥を発酵処理したものが肥料として利用されています。

SECTION 18

堆肥

堆肥《たいひ》とは、分解しやすい有機物（易分解性有機物）が微生物によって完全に分解された肥料あるいは土壌改良剤のことを言います。

有機資材（有機肥料）と同義で用いられる場合もありますが、有機資材は未分解の易分解性有機物残渣も含むのに対して、堆肥は易分解性有機物が完全に分解したものを指します。

堆肥には土壌の化学性、物理性、生物性を改善する効果があります。

化学性の改善

堆肥は植物の三大栄養素と言われる窒素・リン・カリウムを供給します。さらにカルシウムCaやマグネシウムMgなどの多量要素や、ホウ素Bや鉄Feなどの微量要素を含めて、肥料分の直接供給源になります。また、堆肥が分解される過程で生成される土壌有機物は保肥力の向上にも効果があることが知られています。

土壌の物理性の改善

堆肥を加えると土が軟らかくなるため、通気性、水持ち、水はけが良くなり、植物の根の伸長や養水分の吸収が改善されます。また土壌の団粒形成を促進して土壌の物理性を改善し、作物の根回りの環境をよくします。

●土壌を構成する元素

元素	植物中 (%)	土壌中 (%)
C	45.4	2.0
O	41.0	49.0
H	5.5	−
N	3.0	0.10
Ca	1.8	1.37
K	1.4	1.40
S	0.34	0.007
Mg	0.32	0.50
P	0.23	0.065
Na	0.12	0.63

元素	植物中 (mg/kg)	土壌中 (mg/kg)
Mn	630	850
Al	550	71000
Si	220	330000
Zn	160	50
Fe	140	38000
B	50	10
Sr	26	300
Rb	20	100
Cu	14	20
Ni	2.7	40

土壌の生物性の改善

堆肥を分解する生物群（土壌生動物や菌など）が増えることで生物相が豊かになり害虫や有害な病原菌の繁殖を抑えることができます。

以上のことは相互に関連しており、堆肥によって土壌の通気性や保水性など物理性が改善することで微生物の活動環境がよくなる効果もあります。また養分を吸着保持し、作物に有害なアルミニウムAlや重金属と結合して植物の根を守る効果もあります。また、生産面では環境に配慮した安全・安心な農産物を求める消費者ニーズに対応することもできます。植物体の活力が高まるため生産物の食味や色、貯蔵性などがよくなる効果もあることが知られています。

SECTION 19

発酵と堆肥

堆肥は樹木の皮・藁・草・家畜糞などの資材を積み重ね、微生物によって分解させ発酵したものです。堆肥を作るためには、堆肥化を行う微生物にとって必用な条件を備えた環境を人為的に用意することが必要です。また、有機物の分解が不完全な状態では肥料としてさまざまな問題を持ちます。そのため、これらの問題が起こらなくなるまで人為的に分解を進めることが必用となります。

堆肥化の必要条件

堆肥化微生物の活動を活発にするためには、次の条件を整えることが必要です。

①炭素と窒素のバランス（C／N比）
②含水率

③ pH
④ 温度
⑤ 酸素

つまりこれらの条件が最適でなかった場合には、分解速度が落ちて、堆肥の品質低下につながり、作物の窒素飢餓を招くことになります。

堆肥の熟度

作物により必要な堆肥の熟度は異なります。堆肥の熟度が進むと原料の形状はほとんどなくなり水分も50％前後に減少します。

速成堆肥

化学肥料を使って作られる堆肥で、1960年代に地力を維持させるうえで堆肥の必要性が再認識されたことから、無蓄農家で余る藁と市販の窒素肥料を使用して普通より早く腐熟させて作った堆肥です。

作り方は、積み上げる前日までに十分湿らせた藁375kgに対し、腐熟を促進させる窒素肥料（特に石灰窒素がよい）1・5kg（重量比250：1）を交互に加えて積み上げ、保温と乾燥を防ぐため被覆し、2〜3週間目に一度積み替えかき混ぜると、約6週間ほどで中熟堆肥となります。

SECTION 20 乾燥と堆肥

同じ動物質の肥料で紛らわしいのが「乾燥○○糞」と「○○糞堆肥」の違いです。例えば牛糞ですが、乾燥しただけの「乾燥牛糞」と「牛糞堆肥」というものもあります。言葉が似ているため同じものと思い間違って購入してしまいそうになります。しかし、実際は、両者は違うものです。

乾燥牛糞と牛糞堆肥の違い

この2種類の違いはどのようなものかを見てみましょう。

① 乾燥牛糞

「乾燥牛糞」は発酵処理をしていないので、土と混ぜるとそこから発酵分解が始まります。そのため、微生物が土の中の窒素や酸素を奪う現象が起こるため、植物を植えると植物が弱ってしまいます。

② 牛糞堆肥

「牛糞堆肥」は通常3～6カ月の間で発酵が進み、黒いサラサラした牛糞堆肥になります。発酵中は80℃の熱を持つので、病原菌は減少し、雑草の種子も死滅します。しっかり完熟しているため牛糞堆肥は嫌な臭いもしません。

中には、発酵が未熟な品質管理の行き届かない未熟な牛糞堆肥もあります。この未熟な堆肥を土に混ぜると乾燥牛糞と同様に、窒素や酸素が奪われ、植物が枯死してしまう場合もあります。家庭菜園初心者が初めて動物質堆肥を使用する際は、完熟した堆肥を選んだ方が良いです。

堆肥と乾燥肥料の違い

表題のタイトルはまだまだ混同されていることが多い項目です。その違いについて触れたいと思います。

「堆肥」と「乾燥肥料」は、家畜糞尿を用いて作るところは同じですし、水分が50%程度くらいになれば両者は見た目や物性も似てくるため、区別はつきにくくなります。しかし、作る過程で大きな違いがあります。

① 発酵過程の有無

堆肥は、堆積と発酵の為の長い期間を経て出来上がります。一方、乾燥物は熱や天日などで家畜糞尿中の水分を蒸散させれば出来上がります。つまり、堆肥は長い期間を掛けますが、乾燥物は短期間で作られ、出来上がったものにも大きな違いがあります。

② 有機物の性質の違い

次の図のように、それぞれ出来上がったものの容量が一緒の場合、左側の乾燥物は水分が蒸散しただけで、中身の有機物の変化は生糞とあまり変わりません。一方、発酵させた堆肥は、水分の蒸散も起こりますが、有機物の分解等が起こっているため、生糞と比較すると有機物の絶対量が少なくなってきます。乾燥物の場合、水分の蒸散がほとんどで有機物の分解の点では乏しいため、施用後に水分を吸収したとき、生糞に近い状態に戻り急激な有機物の分解が起こり、臭気、ガス等が出る場合もあります。堆肥化をしたものは、すぐに分解される有機物は発酵過程で分解され、その間に臭気、ガス等も抜けていきます。その点では発酵させた堆肥の方がリスクは少ないかも知れません。

しかし、乾燥物にもメリットは無いわけではありません。堆肥化をおこなう上では水分調整が欠かせません。その水分調整にはオガクズや藁などといったものが必要です。地域によってはこのオガクズや藁などが入手困難な場合があります。そのような状況では乾燥処理のメリットが出てきます。

●乾燥糞・生糞・発酵堆肥の違い

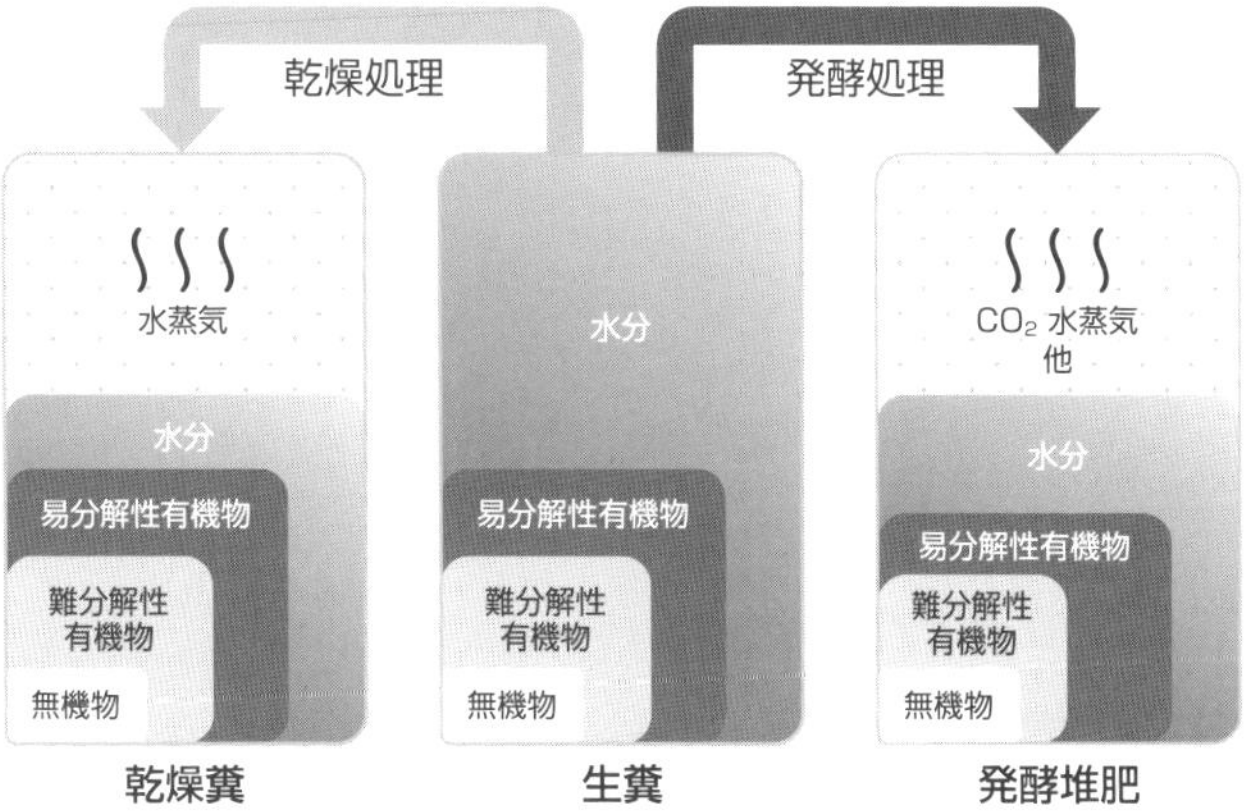

SECTION 21

堆肥の種類

堆肥にはいろいろの種類があります。堆肥の原料は様々で、肥料成分も多様であり、堆肥の使用目的や要求される条件も異なるため、どの堆肥がよいかは作物や土壌の状況に合わせて総合的に判断する必要があります。

堆肥を作る立場では流通・散布時の取り扱いやすさが重視されるため、発酵が進み、水分が少なく、手触りがサラサラとしていて、においが少ないほうがよい堆肥とされます。

一方、堆肥を使う立場では、堆肥の肥料成分や土壌改良効果、安全性、価格や入手面のコストが重視され、堆肥に期待する効果が肥料成分の供給か土壌改良(土壌の物理性の改良)かによっても異なってきます。

堆肥の種類は、堆肥を作る原料の違いによって「植物質堆肥」と「動物質堆肥」に分けることができます。

植物質堆肥

植物質堆肥は植物から作られる堆肥で、肥料成分が多く含まれるというよりも微生物を増やす環境を作る土壌改良効果が高いことが特徴です。

①バーク堆肥

バーク堆肥とは樹木の皮を発酵させて作った堆肥です。多孔質で通気性と保水性が良いためとても軽く、土をフカフカにさせるので土の通気性や保水性、排水性を改善します。保肥力をアップする効果もあり土壌改良によく使用される資材です。

●バーク堆肥

②もみ殻堆肥

もみ殻とは玄米を守っている固い殻の部分から作られた堆肥で、通気性や水はけを良くします。あらゆる土質の畑に向く堆肥で、特に粘土質の畑で使うと劇的に土壌改良が進みます。完熟したものは保水性があるため、水持ちを良くすることもできます。

③腐葉土

ケヤキやコナラ、ブナなどの広葉樹の落ち葉を、土を間に挟んで積み重ね、水を加えて長期間発酵させ土状になったものが腐葉土です。腐葉土というように「土」という字がついていますが、植物や作物を育てる土を改善するための堆肥です。植物の繊維分が多く含まれ、ミネラルも豊富に含まれています。保水性・排水性に優れ、保肥力もあり、土をフカフカにする効果に優れています。

動物質堆肥

動物質堆肥は土壌改良というよりも、肥料としての側面が強いです。

①**牛糞堆肥《ぎゅうふんたいひ》**

完熟発酵した牛糞堆肥には、有効微生物のおかげで植物が吸収しやすいよう有機物を分解してくれるため土の団粒化を進め良質な土壌にしてくれます。

②**馬糞堆肥《ばふんたいひ》**

牛糞堆肥同様、豊富な繊維分があるため、土壌の通気性や排水性、保水性が改善される性質を持っています。

③**豚糞堆肥《とんぷんたいひ》**

豚糞を堆積発酵させたもので肥料分を多く含み、繊維分は他のものに比べやや少なめになります。

④**発酵鶏糞《はっこうけいふん》**

鶏糞を堆積発酵させたもので鶏糞堆肥とも言います。堆肥というよりもより化成肥料並みの速効性のある肥料です。窒素・リン酸・カリの三要素を多く含みます。

SECTION 22

堆肥の発酵エネルギー

堆肥を作ったことのある人、あるいは堆肥に近づいたことのある人ならだれでも知っていることですが、堆肥は大変に暖かい物です、いや、「暖かい」などでは表現が穏やかすぎます。堆肥は熱くなります。とくに積み上げた堆肥の内部では80℃を超える、危険な熱さになります。この熱を利用しない手はありません。

発酵熱

発酵は、微生物あるいは動物の筋肉などで行われるエネルギーを得る手段です。グルコースなどの糖類を酸素がない条件（嫌気条件）下で分解して、最終的に炭酸ガスとアルコール、乳酸など、種々の有機化合物（ケトン、有機酸など）を生成する過程です。その過程で得られるエネルギーをＡＴＰ（アデノシン・三リン酸）へ蓄積し、生命活動に利用します。このときに発生するエネルギー（熱）を発酵エネルギー（発酵熱）と言います。

次の図はバーク（樹皮）を用いた堆肥の内部温度をあらわしたものです。10日に1回ほど、堆肥を崩しては積み直す操作（切り返し）を行い、その時には一時的に温度が下がりますが、温度は高い時には100℃に迫り、数十日に渡って70℃以上を保ちます。この高温によって糞便中の寄生虫やその卵、あるいは大腸菌などの有害生物は死滅し、また、落ち葉や藁くずなどに由来する害虫も死滅します。

●堆肥の内部温度

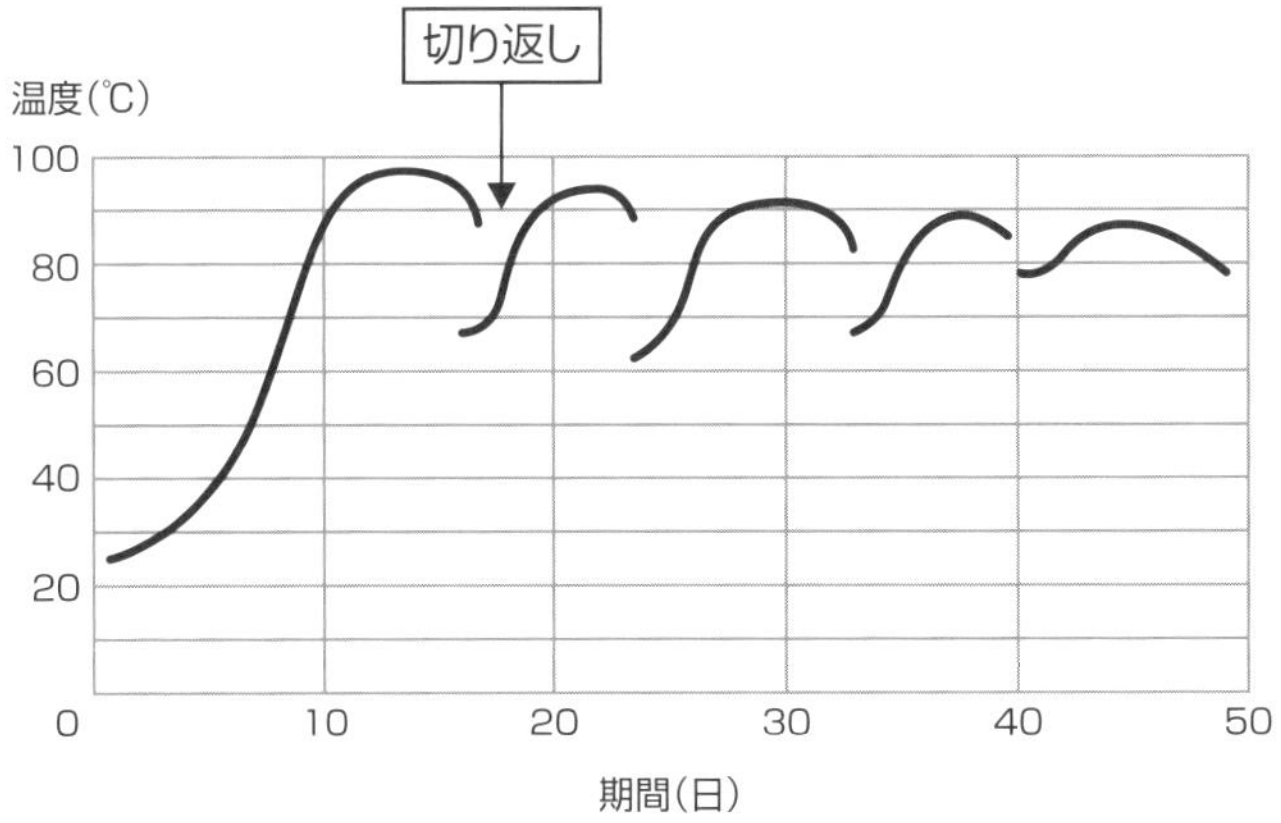

発酵熱の利用

発酵熱は、乾燥した家畜の糞1kgから4000〜5000キロカロリー程度となります。これは糞1トンを発酵させると、その発生エネルギーは重油のドラム缶1〜2本分にもなります。暖房として利用しない手はありません。

①踏み込み温床

この熱は昔から巧みに利用されていました。その代表とも言えるのが、落葉、米ぬかなどの発酵熱を利用した、地表に低く造った堆肥の「踏み込み温床」です。昔、関東地方などで、2、3月のまだ寒

●堆肥作り

い時期に夏野菜の苗を育てるのに使われました。堆肥の一種ですから、苗が育った後には畑に漉き込めば肥料になります。

②ビニールハウス暖房

利用されようとしているのは堆肥熱のビニールハウス暖房です。現在はビニールハウス暖房には重油の燃焼熱を用いるのが大勢です。これでは重油の費用が大変であり、その上、二酸化炭素を発生します。それに対して小さな断熱ビニールハウスに堆肥を作り、発生した暖気を栽培ビニールハウスに循環してハウス内を温めるのです。

数軒、あるいは地域の農家が共同してこのシステムを作り上げたら、ビニールハウスに止まらず、地域暖房も実現することでしょう。

③堆肥発電

さらに最近は、この熱がクリーンなエネルギーとして注目され、堆肥から発生する熱によって生じる周囲の気温との温度差を利用して「ペルチェ素子」という半導体を用いて発電し、その電気を利用しようというシステムも開発中といいます。

SECTION 23

化学肥料の生産エネルギー

糞尿が肥料として優れた物であることは、当時世界的な大都市であった江戸の人々の食料を250年間にわたって支え続けてきた実績が証明しています。しかしまた、糞尿が寄生虫や各種感染症の感染源として問題のある物であることも否めません。

化学肥料

現代の農業における肥料はその大部分が化学肥料です。化学肥料とは植物の三大栄養素である窒素N、リンP、カリ(カリウム)Kをほどよくそなえた化学物質のことを言います。

このように、成分的に優れた上に、使い勝手も良い化学肥料が誕生したのは20世紀に入って間もない1906年にドイツの二人の化学者フリッツ・ハーバーとカール・

ボッシュが発明したアンモニア合成法です。ハーバー・ボッシュ法と呼ばれるこの方法は、水の電気分解で得た水素ガスH_2と空気中の窒素ガスN_2を触媒存在下、1000気圧近い高圧と500℃近い高温の下で反応させてアンモニアNH_3を作るというものでした。

アンモニアができればそれを硝酸HNO_3に変えるのは簡単な話しです。アンモニアと硝酸を反応させれば優れた窒素肥料である硝酸アンモニウム（肥料名：硝安）NH_4NO_3が得られますし、硝酸とカリウムKを反応させれば化学肥料、硝酸カリウムKNO_3となります。しかも原料は水と空気ですから無尽蔵です。この発明でハーバーとボッシュは「空気からパンを作った男」と称賛されました。

●硝酸アンモニウム

$$NH_3 + 2O_2 \rightarrow HNO_3 + H_2O$$
$$NH_3 + HNO_3 \rightarrow NH_4NO_3$$

●硝酸カリウム

$$KOH + HNO_3 \rightarrow KNO_3 + H_2O$$

大エネルギー消費

このアンモニア合成法は、触媒などに改良を加えながら、現在も稼動しています。しかし、問題もあります。その一つは反応に大量の電気エネルギーを要するということです。世界中で消費する全電気エネルギーの2%がハーバー・ボッシュ法で使われているという説もあります。

これは言い換えれば、糞尿の肥料としての価値はエネルギーに換算すれば全電気エネルギーの2%に相当することを意味します。もちろん、糞尿を肥料にするためには、貯蔵、運搬、化学処理など多くの手間暇がかかり、莫大なエネルギーも費用も必要になることは言うまでもありません。しかし、後に見るように、下水汚泥の中には肥料として加工、利用されている物もあります。糞尿を不潔で不要な物として見るだけでなく、潜在的なエネルギー資源として見ることも必要なのではないでしょうか?

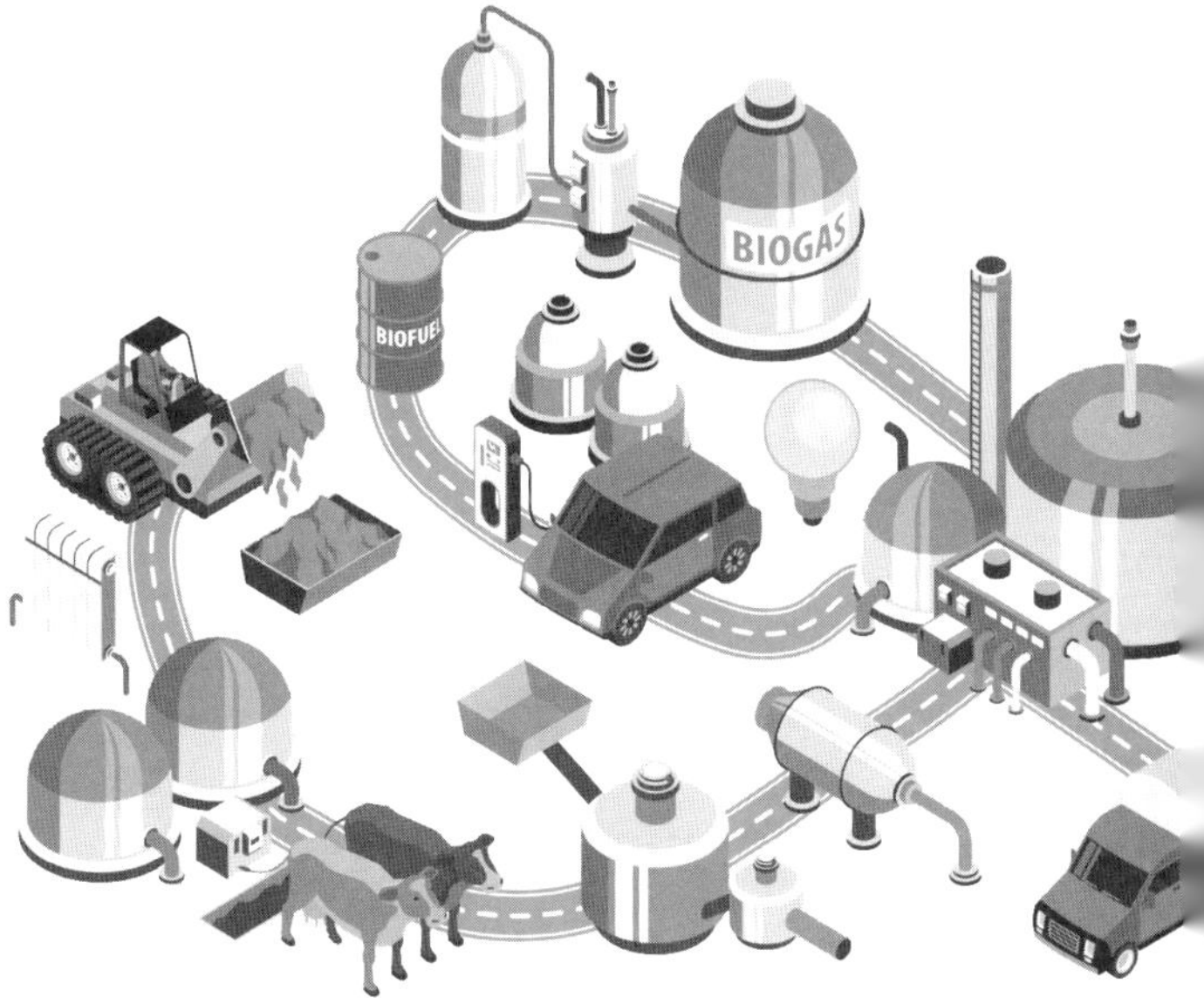

Chapter.5
養殖用飼料としてのエネルギー

SECTION 24

糞尿の原料と熱量

糞尿の成分は、炭素C、窒素N、リンP、イオウS、カルシウムCa、カリウムK、ナトリウムNaなどと、生命活動に必要な全元素が過不足なく揃っています。

それでは、ウンチ（糞）の原料は何でしょう？　朝、昼、晩に食べたものが消化・吸収されて、その残りかすがウンチになる。つまり、「ウンチのほとんどは食べかすだ」と思っている方が多いのではないでしょうか？

80％は水分

でも、それは間違いです。健康的なウンチの場合、約80％が水分です。便秘気味になれば水分は70％ぐらいになり、下痢になれば90％以上になることもありますが、いずれにせよ、大半が水分です。

私たちが健康的に生活する上で水分の確保はとても大切です。体の水分が不足すると、体の調子が悪くなり、熱中症や脳梗塞、心筋梗塞を引き起こして死に至ることもあります。

残り20%は何？

水分以外の20%は何か？　結論を言うと、この20%は、「食べかす」「腸内細菌」「はがれた腸粘膜など」ということになります。そして、概ねこの3つは同じ割合を占めています。

① 食べかす

食べかすというのは、消化されなかったものや栄養を搾り取られた残りかすのことを指し、わかりやすいものとしては食物繊維、要するに炭水化物などがあげられます。この食べかすは、全体の割合からすると7%ぐらいなのです。仮にウンチを100gとするとわずか7gです。小さじ一杯が5gなので、それよりちょっと多い程度です。

② 腸内細菌

腸内細菌は、水分を除いたウンチ1gの中に、6000億から1兆個という膨大な数がいるようです。腸内細菌を大まかに分類すると善玉菌、日和見菌、悪玉菌になります。ビフィズス菌や乳酸菌が善玉菌、大腸菌やウェルシュ菌が悪玉菌です。

③ 腸粘膜

最後に、はがれた腸粘膜です。人間の腸粘膜は3日に1度ぐらいの頻度で新しく生まれかわっています。ウンチになる過程で食べかすなどがこすれて落ちるのもあれば、古くなって自然に剥がれるも

●乳酸菌

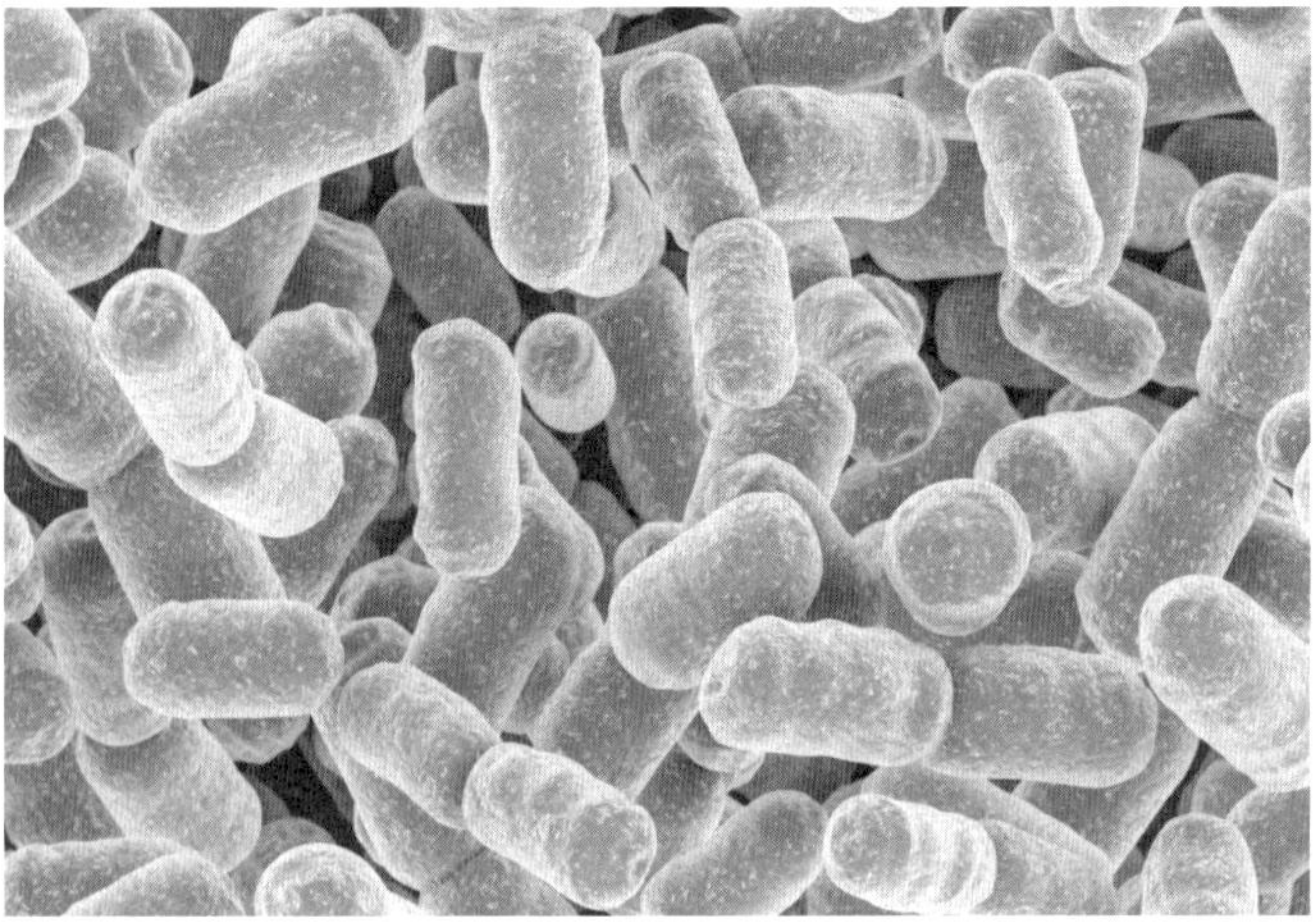

のもあります。これらがウンチの一部として排出されます。腸粘膜ですから、タンパク質と見てよいでしょう。

ということで、ウンチは主に、水分、食べかす、腸内細菌、はがれた腸粘膜でできています。いいウンチには、十分な水分、ウンチを形作るための食べかす、良好な腸内環境が必要ということです。

ウンチの熱量

それでは、ウンチの熱量(カロリー量)はどれくらいあるのでしょうか? それは次ページの表にまとめてあります。乾燥したウンチ１００g当たりのカロリー量です。先ほど見たように生ウンチ重量の80%は水分ですから、水を含んだ生ウンチのカロリー数はこれの1／5と思えば良いのでしょう。

比較のために、生肉のカロリー数を上げておきました。ウンチのカロリー数はばかにならない数字です。これだけの成分とカロリーを備えたウンチが役に立たないはずはありません。地球上には、ほかの生物が排泄した糞尿を餌として生活している生物がたくさんいます。糞尿を分解してくれる微生物はその典型です。また、昆虫もそのような生物の一種です。

古代エジプトで聖なる昆虫として崇められたスカラベは日本名で「糞転がし」といいます。動物の糞を丸めて団子状にし、その中に卵を産みます。孵った幼虫は糞を食べて成長し、やがて糞団子を食い破って、成虫として誕生します。その様子が古代エジプト人には生命の再生と映ったのでしょう。

●カロリーの比較

畜種	糞 kcal/100g	生肉 kcal/100g
乳牛	418	371
肥育牛	408	
肥育豚	434	386
採卵鶏	275	200
ブロイラー	391	

SECTION 25

野生動物の飼料

自然界では、多くの生物が、糞便を栄養源、あるいは食用として利用しています。

同類間の糞食の意味

排泄物には、その動物が食べた食料のうち、消化吸収できなかった成分が含まれますが、それを再吸収するために食べる場合もあれば、その動物が利用できない成分を、他の動物が利用するため食べる例もあります。

さらに、糞にはもとの食物に含まれていた成分だけでなく、酵素・細菌の働きなどにより、その動物の腸内で添加されたり、分解によって生じた成分が含まれたりすることもあり、それが重要な意味を持つ場合もあります。

①養分の再吸収

ウサギは、自分の糞を食べることで知られています。北米コロンビア川渓谷に棲息するナキウサギは、栄養価の乏しいコケ類を食べていますが、排出した盲腸糞はナキウサギの胃腸の微生物によって、コケの6倍もの栄養素を有しており、そのため、ナキウサギは食糞によって栄養を得ています。

②腸内細菌の補充

また、コアラは、親が子に栄養分を豊富に含む未消化の便を与えます。これは初乳に近い役割を果たしています。草食動物の場合は、腸内細菌の働きによって草木を消化しますが、腸内細菌の発生が弱い場合は消化不良を起こします。そのような時に草食動物は、腸内細菌の補充のために、好んで自分や仲間の糞を口にします。

③天敵からの防御

哺乳類の中には、子育て期間中に子供の糞を食べてしまう種もあります。これは子供の消化能力が弱くて、未消化分が多いこともありますが、それ以上に天敵から身を守るために、糞をできるだけ巣の周辺に残さないようにする意味もあります。

反面、イヌや人間などでは、生理的合理性がない食糞行為も観察されます。特に人間の糞尿摂取については、文化的側面も強いことが知られています。

異類動物間の食糞の意味

糞が別種の動物に利用される場合もあります。野性において動物の糞は、よく他の動物の餌になります。よく知られているのは、昆虫の中で、糞虫といわれるコガネムシ類です。有名なのはフンコロガシ（スカラベ）です。

①微生物による分解

糞は分解を進める微生物の働く場でもあります。糞が排出されると、すぐに細菌類や菌類が分解をはじめます。菌類の側から見ると、たとえば草食動物の糞には、その材料である植物よりはるかに窒素の含有量が多く、肥料としてより優れています。

糞に生じる菌類は糞生菌と呼ばれ、古くから研究の対象となってきました。糞だけに出現する、あるいは糞での生活に特化したと見られる菌類はミズタマカビなどさまざまな群の菌類に見られます。ハエのウジなどは、むしろ細菌を餌にしている可能性もあります。細菌や菌類による分解が進めば、糞は土に帰っていきます。

②人間の食糞

アフリカ東部に暮らすマサイ族は、乾季のゾウの糞を原料にした象糞茶（サバンナティー）を作ります。また、象の糞をライオンに与えると、獰猛なライオンが一瞬にしておとなしくなってしまうといいます。また、ジャコウネコの一種が、特に出来の良いコーヒーの実を好んで食べることから、この糞に含まれている未消化のコーヒー種子を取り出したもの（コピ・ルアク）が高値で取引されます。動物の消化酵素の働きで、コーヒー自身の風味が玄妙に変化し、独特の味わいがあるといいます。

なお、食糞行為について、便秘ではない個体が排泄してすぐの糞便は空気に触れていないため、衛生上それほど問題はないとされていますが、排便後1時間以上経った物や、便秘をしている個体の糞は、有害細菌の働きによって腐敗しています。そのため、このような便は健康に悪影響を与える毒素が発生するので、食糞してはいけないと言われています。人間が食すると急性中毒を起こし、強制的に体外排出しない限り死に至ることもあるといいます。

③家畜の糞食

人糞が豚や犬、魚類の餌として使用される場合もあります。そのために便所はそれらの生物の飼育場所に隣接して作られることがあります。さらに手の込んだものでは、人の便所の下に豚小屋(豚便所)を、豚小屋の下の方に養魚池を造る例があります。これなどは、自然の仕組みを巧く利用した例と言うことができるでしょう。

野生動物が行う糞食ならば、家畜に行わせても良いようなものですし、歴史的には家畜の糞食は行われてきたのですが、現在では、衛生面からそのような行為は多くの国で禁止されています。とくに牛海綿状脳症(BSE)の発生を防止するため、牛やめん羊などの反すう動物に動物性のたん白質を含む飼料(肉骨粉、蒸製骨粉、血粉、チキンミール、魚粉、肉類を含む残飯など)を与えることが該当します。なお、乳製品や卵製品などは規制の対象から除かれています。

SECTION 26

プランクトン飼料

1960年代、70年代、日本の漁業、養殖漁業は大きな問題に悩まされました。それは赤潮、青潮と言われる海洋プランクトン問題でした。

中性洗剤・屎尿海洋投棄

赤潮《あかしお》、青潮《あおしお》というのは、水中に生存している微細な生物(特に植物プランクトン)が異常に増殖し、水の色が著しく変わる現象です。水の色は原因となるプランクトンによって異なり、赤褐色、茶褐色などの色を呈します。特に多いのは赤潮と言われる現象です。

春から秋にかけて、日照時間が長くなり気温が上がると、海水中の植物プランクトンや、それを捕食する動物プランクトンが増殖します。プランクトンが異常に繁殖することで海水が濁り、赤潮が発生します。また、有毒なプランクトンによる赤潮は、魚や貝類を死に至らしめることがあります。

赤潮が起きると海洋の環境が急変するため、その水域の生物に被害を与えることがあります。また、プランクトンの中には毒性を持つ物も存在するため、特に養殖を行っている瀬戸内海などでは大きな被害をもたらすこともあります。

また、増殖したプランクトンが死滅するとその死骸が腐敗し、周辺海域の酸素を消費するため、また、漁業に害が生じます。

赤潮発生の仕組み

赤潮の原因は、植物プランクトンの栄養となる窒素やリンが豊富に存在することです。

① 中性洗剤

その原因は、一つは中性洗剤の使用です。中性洗剤はそれまでのアルカリ性の脂肪酸のナトリウム塩であった石鹸と違い、性質は中性でリンやイオウを含んでいました。このリンがプランクトンの栄養分となったのです。

② 屎尿の海洋投棄

もう一つの原因は屎尿《しにょう》の海洋投棄でしょう。屎尿とは人間の排泄した糞尿のことを言います。

当時、家庭からバキュームカーで回収した屎尿は処理施設が無いまま、東京湾等の海洋に投棄されていました。オワイ船と呼ばれた船に乗せて、海面に投棄するのです。屎尿の海洋投棄は昭和初期から行われていましたが、海洋汚染防止法施行令(1970)では、屎尿・汚泥など海洋還元型廃棄物の投棄について、速やかに拡散するように、少量ずつ航行しながら投棄するように定めています。

当時の様子では、東京湾のオワイ船が屎尿の投棄を始めると、海底からわきあがるようにシャコが現われ、屎尿を競って食べたそうです。また、シイラという魚も屎尿が好きで、オワイ船を高速で追いかけたといいます。つまり、これらの海洋生物にとっては、人間に取って厄介者の屎尿はこの上ない御馳走だったのです。

③ 愛知県のアサリ不漁

愛知県はアサリの産地として知られています。2011年のアサリ漁獲量は1万6700トンもあり、2014年には全国生産量の54%を占め、全国第1位になっています。ところが、10年後の2021年には、2364トンまで減少しました。そのため、潮干狩り場の中には休業したり、開業日数を減らしたりする場所もあります。激減の理由は「海がきれいになりすぎて餌の植物プランクトンが減り過ぎた」ということだそうです。

これまで、国や県などは、海をきれいにするため、海に流す排水の「窒素」や「リン」の量を規制してきました。ところがそのおかげでプランクトンの餌が不足し、プランクトン、つまりアサリの餌が無くなってアサリの減少になったのです。

対策をどうするか、愛知県は検討中だそうですが、一つの可能性は下水処理場の規制値の緩和ということでしょう。「水清ければ魚住まず」といいますが、自然は「持ちつ持たれつ」の「平衡状態」で存在しています。規制の厳格化にしろ、緩和にしろ、行きすぎることの無いよう、広く目を配ることが大切ということでしょう。

SECTION 27

養殖昆虫の飼糧

動物は餌に含まれているエネルギーやタンパク質の約60％しか使っておらず、残りは糞尿として排泄します。つまり、湯気を立てている排泄物の山は、じつは栄養素の塊なのです。これを栄養素として有効に使うのが昆虫です。

昆虫の食料としてのエネルギー

昆虫が人間の食物として優れていることは、昔から知られています。しかし欧米では昆虫食の文化は無かったようですし、欧米の食事を見習ってきた日本は、江戸や明治の昔に比べて昆虫食の機会は少なくなったようです。昭和初期には農村部ではイナゴの佃煮は普通でしたし、養蚕の盛んな地方では繭の中にいる蚕の蛹を食べたといいます。蜂やそのサナギの炊き込みご飯は御馳走だったといい、2023年6月にアマゾン川流域の飛行機事故で行方不明になっていた４人兄弟が40日ぶりに無事発見されて話題になりましたが、彼らがその間食べていた物の中には、地中の幼虫があったといいます。幼虫は柔らかくてカロリーが高いといいます。

表はコオロギ（昆虫）と他の肉類のカロリーや栄養素を比較したものです。コオロギになんら遜色はありません。むしろ、ほかの肉より優れているようなものです。

その上、すべての動物の中で重量のもっとも多いのは昆虫であり、世界中の蟻の総重量は人間の総重量にほぼ等しいといわれます。世界人口が80億に達し、２０６０年には１００億に達しようという現在、いよいよ真剣に将来の食料を考えなければならなくなりつつあります。

●カロリーと栄養素の比較

栄養素	コオロギ粉末	牛肉	牛乳	サバ
エネルギー	480kcal	371kcal	69kcal	202kcal
タンパク質	62g	14.4g	3.4g	20.7g
脂質	24g	32.9g	3.9g	12.1g
炭水化物	8.5g	0.2g	4.9g	0.3g
オメガ-3 脂肪酸	2.81g	0.34g	-	0.31g
カルシウム	210mg	4mg	113mg	9mg
ビタミンB12	5.4μg	1.3μg	0.3μg	10.6μg

※100gあたりの栄養素（1mg ＝ 1000μg）

そのようなときに見直さなければならないのは、昆虫食では無いでしょうか？牛や豚、鶏の養殖効率の悪さが改めて認識され、代替タンパク質の必要性が強調される中、ようやくコオロギ食が欧米でも受け入れられる雰囲気になりつつあります。

昆虫と言えど、カスミを食べて成長できるわけがありません。昆虫は何を食べているのでしょう？

動物の糞を食べる昆虫

アメリカミズアブの幼虫はフェニックスワームやカルシワームとも呼ばれ、家

●乾燥したコオロギ

畜の飼料として最も一般的に使われています。糞はこのような昆虫にとって素晴らしい飼料になり、一方、その糞によって育った昆虫は家畜の飼料として利用できる可能性があります。

昆虫が食べる餌は、昆虫の体の最終的な組成、特にタンパク質の含有量に大きな影響を与えます。このため昆虫の養殖業者は、昆虫の産出量を最大にするだけでなく、それを出荷する市場にとって最適な組成になるような飼料を開発する必要があることになります。

例えば、脂肪の含有量が高すぎると、保存可能な期間が短くなったり、昆虫を脱脂する必要が生じたりする可能性があります。家畜に与える飼料には特定の栄養要件があるほか、ばらつきのない製品が期待されています。

ほとんどの動物の糞は、昆虫の餌にするためには、糞に食品廃棄物など他の原料を混ぜる必要があり、配合については個々の生産者が独自の工夫をすることになります。入手できる廃棄物の種類に対応するため、配合は当然、季節によって異なる場合があります。

養殖昆虫の飼料としての糞尿

ことを慎重に進めているのは欧州委員会の当局だけではありません。少なくとも欧州では、昆虫業界自体が動物の糞を養殖用飼料にすることを急いではいません。そもそも、昆虫を食品や飼料にすることに関して承認を受けるという重要課題に、いまだに取り組んでいる最中なのです。

昆虫の糞食は、「将来性はあると考えていますが、優先事項は生体内変換であり、管理された衛生的で安全な環境に焦点を当てています」と答えています。いずれは糞の活用が当たり前になるのかもしれません。

SECTION 28

循環タンパク質

地球では、動物の排泄する糞の問題が深刻化しています。その量は２０３０年に年間37億トンになると推計されており、しかもそれは家畜によるものだけなのです。これに80億の人間が毎日排泄する量を加えたら、まさしくとてつもない量と言っていいでしょう。

こうして排出された糞の多くは、農作物用の肥料として利用できます。しかし、家畜が大量にいる一方で耕作可能な土地がほとんどないオランダやイタリア北部などでは、糞の扱いは厄介な問題になります。そこで糞を自分の国で肥料にする代わりに、糞を必要とする地域に運ぶことになりますが、別の解決策もあります。それが昆虫の糞食です。

動物の昆虫食

農家の庭で飼われているニワトリたちは、間違いなく糞を食べて育った、昆虫の幼虫を食べています。野生の状態では、イエバエやアメリカミズアブは糞を食べて成長します。糞にはちょうどいい量の栄養素と水分が含まれていて、幼虫の生育培地として完璧なのです。春や夏の気温が暖かい時期なら、わずか数週間で卵から成虫になります。

昆虫の養殖で産出されるものには、主に3種類あります。タンパク質、脂肪、そして昆虫の糞（木くずと混ざったものは「フラス」とも呼ばれ肥料として利用できます）です。このなかで最も大きな利益になるのが、タンパク質です。

昆虫の糞食の問題点

多くの国、特に欧州連合（EU）諸国の当局は、糞を飼料にして育てられたタンパク源を自国の市場で承認することについて展望を示そうとしていません。一方、欧州と北米では、ペットフードや養鶏飼料、水産物の養殖用飼料における昆虫の使用を、17年から認めています。

昆虫はタンパク質の含有率が高く、アミノ酸の組成も他の動物性タンパク質とほぼ同じで、植物由来のタンパク質より優秀です。このため魚粉や大豆のように環境破壊につながるタンパク質の代用品として望ましいと考えられています（魚粉は魚の乱獲につながり、大豆は南アフリカにおける森林伐採の主要な要因です）。

① 昆虫養殖の餌

ただし、昆虫を家畜の飼料として使うことについては厳しい条件があり、昆虫に何を食べさせていいのかについては規定があります。現時点では農業廃棄物のほか、肉と魚を除いた消費前廃棄物（商品生産時に余剰として出る廃棄物）のみとなっています。

ＥＵが警戒するのは、先に見た１９９０年代に発生した牛海綿状脳症（ＢＳＥ）の危機です。それ以来、家畜の飼料に含めていいものについては、厳格な規制ができています。昆虫は「家畜動物」とみなされるので、同じ規則の対象になります。

当局者は、昆虫の養殖用飼料に動物の副産物（糞尿）を利用することは、まだ「慎重に検討する段階」だと語っています。「考慮すべきことがらではありますが、期限は定めていません。非常に複雑な問題であり、膨大な準備が必要です」ということです。

なお、欧州食品安全機関（EFSA）は2021年1月13日、イエローミールワームは人間が食べても安全であると承認しています。飼料については、ペットフードと水産物の養殖飼料向けにはすでに許可されており、養鶏と養豚向けの飼料としても許可される予定ということです。

②昆虫がもつ本当の可能性

健康や安全に関する懸念を回避して「動物の糞革命」を実現するひとつの方法が、生産された昆虫を人間の食品以外の用途に使うことです。例えば、ペットフードや工業用の潤滑油などです。

ただし、これでは水産物の養殖飼料という最高品質のタンパク質市場を失うことになります。ペットフードの規制もかなり厳しくなる可能性があり、工業用途についても化粧品や生物燃料などは現時点では可能性が未知の領域です。

SECTION 29

タンパク質循環

人間の食料として欠かせないタンパク質には色々の問題がついてまわります。

石油タンパク

1960年代に日本で問題になった食品に「石油タンパク」がありました。微生物（石油酵母）に石油の副産物であるノルマルパラフィンを与えて増殖させ、それからタンパク質を抽出して食用タンパクとして利用するという構想でした。

しかし、1972年12月、厚生大臣の諮問機関である食品衛生調査会が石油タンパクを使用した動物用飼料の製造を認めると、消費者団体などが発ガン性の疑いがぬぐい切れないとして一斉に抗議運動を展開しました。そして1973年1月、東京都消費者連合会が厚生大臣あてに石油タンパクの使用禁止を求める申立書の提出を行いました。その結果、最終的には日本では石油タンパクは流通できないことになりましたが、石油タンパクを生産するために開発された手法は酵母食品などの生産に広く応用されました。海外では動物飼料や人間用に石油タンパクの生産が行われていますが、原油価格が開発時期のスタートした1960年代とは比べ物にならないほど高騰したため、コスト的な問題などから生産・流通は限定的なものとなっています。

循環タンパク

糞食で育った昆虫を餌として育った家畜、養殖魚を人間が食べるというのは、「タンパク質の生物循環」と見ることができます。「料理」として「人間の体内」に入った「タンパク質」の未分解分が「糞尿」として排泄され、それが「昆虫の餌」として「昆虫」の体内に入り、それがまた飼糧として「家畜や養殖魚」の体内に入り、再び「料理」となって私たち「人間の体内」に戻ってくるのです。まさしく、仏教でいう「輪廻転生《りんねてんせい》」です。この世の全ての物はめぐり続けるのです。このサイクルが完成しない限り、人類は食料問題から解放されることはないのではないでしょうか？

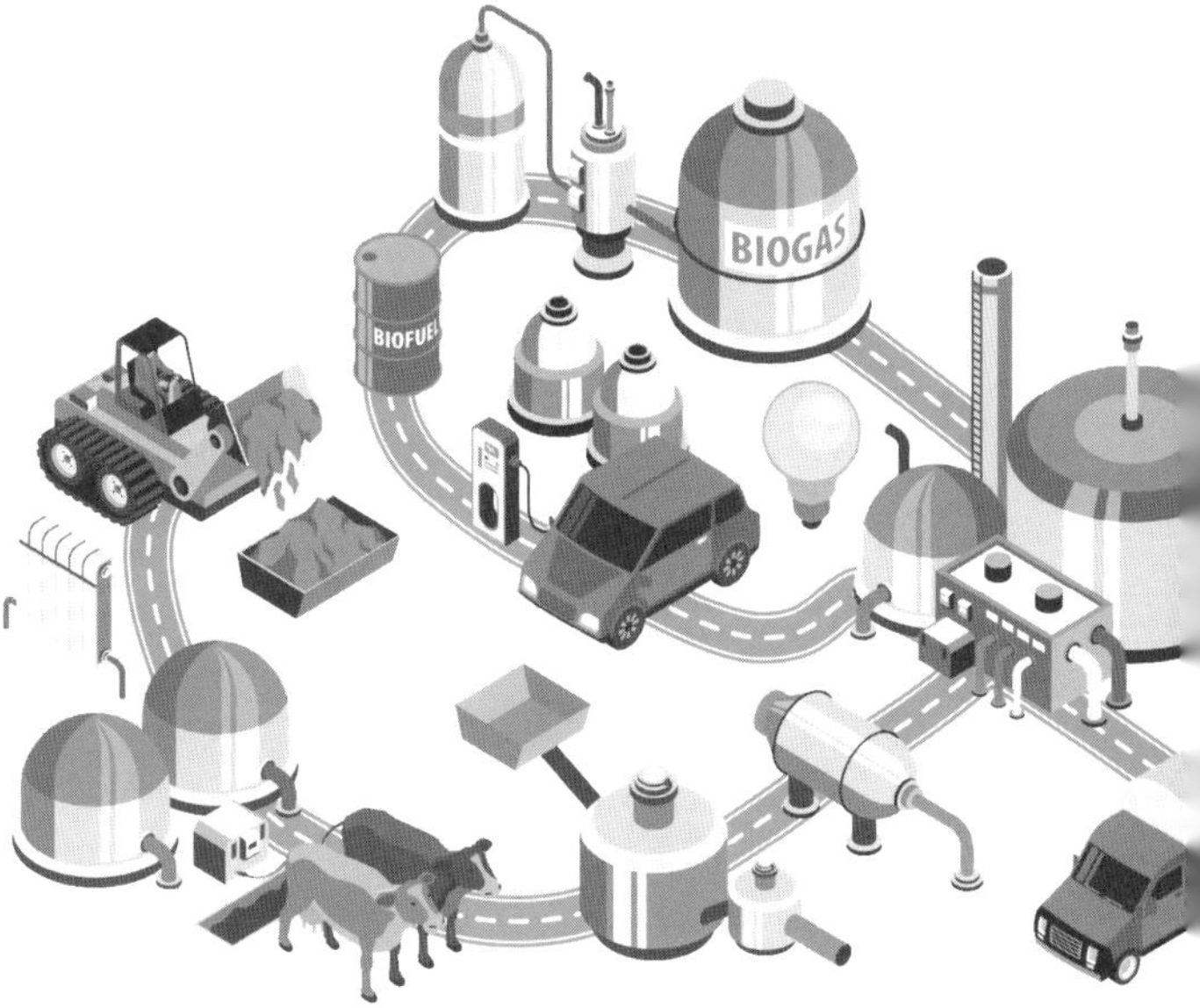

Chapter. 6
工業・医療用素材生産

SECTION 30

建材

牧畜民族は家畜のすべてを利用します。その中には糞尿の利用も入っています。糞尿と言うと、私たちはすぐその匂いを思い浮かべ、嫌な感じがしますが、乾燥地帯では糞尿はすぐに乾燥してしまい、私たちが思うほどには匂わないのかもしれません。

土間への利用

半乾燥地帯に属するインド北西部では家の中の土間に塗る土に牛糞を使います。すなわち、コブウシの牛糞と赤土を1：1の割合に混ぜてよく練り、それを土間に塗り固めるのです。最期に牛尿を掛けて半日ほど乾燥すると土間の完成です。

このようにして作った土間は丈夫で、1年間は埃もたたず崩れもせず、塗りなおす必要が無いとのことです。一方、牛糞を使わず、赤土だけで塗った土間の場合には1

カ月ほどでくずれてしまうそうです。

牛糞に混じっている腸内細菌と未消化の植物繊維が土を固める作用をしているのだそうです。

かまどへの利用

全く同じように、台所で煮炊きをするかまども赤土とさらに灰と牛糞を混ぜて作るそうです。この場合には内部で火をたくため、耐久性はさらに上がり、数年間は問題なく使うことができるといいます。

●土間への利用

壁への利用

モンゴルでは排泄されたばかりの柔らかい牛糞を、ヤナギの枝で組んだ柵に塗布して壁とします。また、家畜小屋の穴を塞ぐのにも使い、寒気から家畜を保護します。エルサルバドルでは、粘性を増すために粘土に牛糞を加えてスペイン瓦を生産しています。牛糞はふるいにかけて細かくし、粘土に対して約8：2の比率で加えて土練りを行います。また、東アフリカの牧畜民であるマサイ族の伝統的な家屋にも、土と牛糞が資材として用いられています。

レンガへの利用

スーダンの建物のほとんどは、土とレンガを基礎にして出来ています。建物レンガを一つひとつ、土を接着剤にして積み重ねていき、建物を作り上げます。

このレンガに牛糞を使うのです。すなわち、掘り起こした土と水、それに牛などの糞を混ぜます。糞は、消化されていない草を含んでいますので、レンガの強化剤になります。それを枠の中に入れて日干しにします。この日干しレンガを積み上げて炉を作り、外側に土を塗り、中で火を焚きます。これで焼成レンガの出来上がりです。

日本の土壁

昔の日本建築の壁も、竹を編んで作った柵に赤土を塗った土壁でした。しかし、土だけでなく細かく切った藁を混ぜて数カ月放置してから使いました。それは、この放置期間に藁が発酵し、藁は腐ったように消えて、中に含まれる高分子のリグニンが残ります。このリグニンが互いに絡まって、三次元網目構造の中に赤土の粒子をとりこみ、頑丈な壁を造ったのです。

放牧民の壁もこれと同じ原理なのでしょう。ただ、牛糞の場合には藁が、腸内細菌で消化、発酵していますから、既にリグニンになっており、日本の場合のように数カ月も放置する必要が無くなっていたのだと思われます。

考えてみれば、合理的な方法です。ただし日本のような高温多湿な機構で牛糞を用いたのでは、いつまでも匂いがこもって大変な家になるでしょう。

SECTION 31

美容・嗜好品

現代人にとって糞尿は遺棄するべき不浄で不潔な物ですが、もしかしたらそれは「痩せ願望」と同じに現代文化の歪なのかもしれません。現代文明という「歪んだ眼鏡」を外して見たら、糞尿は意外と優れた有機物だということがわかるのかもしれません。

美容品

乾燥地帯に住む放牧民族にとって、大切に育てた家畜が、乏しい野草を食べて、その水分を集めて排泄した尿は大切な水分なのかもしれません。汚いなどと難癖をつけて捨てるのはとんでもないことなのかもしれません。

① 家畜の尿がシャンプー

動物の尿は無菌状態の腎臓で作られ、無菌状態の膀胱に貯められ、無菌状態の尿道を通って排出されます。考えてみれば、排出された直後の尿は非常に清潔な物なのかもしれません。だとしたら、この尿で髪を洗って何が悪いのでしょうか?

ラクダは、放尿に長い時間をかけます。これは砂漠の気候に適応するためのラクダの身体機能によるもので、外気温に応じて体温を高くも低くも変化させることができるという特性に対応した生理現象です。

すなわち、ラクダは最小限にしか発汗せず、活動代謝によってコブの脂肪を水分に変換できる特性を持つため、体内に大量の水を貯留できるのです。ラクダは砂漠での移動でオアシスにたどり着き、水分補給をすると同時に放尿します。

1回の水分補給量は100リットルにもなり、放尿は数分の長きにわたりますので、人間が洗髪するには十分な時間と言えます。現地の住民はこれを使って髪を洗います。

アフリカのマサイ族などは牛の尿で洗髪することで知られていますが、尿に含まれるアンモニアの効能で虫除けになるそうです。しかも無菌状態は保障されている訳ですから、清潔を保つためには一石二鳥の習慣であるとも言えるでしょう。しかも、乾燥地帯では尿の匂いなど気にならないといいます。

② 美肌剤

昔の日本の化粧品店では鶯《ウグイス》の糞を売っていたといいます。名目は「美肌剤」です。現代人にとっては意外ですが、これは実は現代人にとっても合理的なことなのです。

ウグイスは肉食の鳥です。したがってその消化酵素の中にはタンパク質を分解除去する成分が入っています。昔の女性はこの成分を使って肌の老朽化した角質を分解除去していたのです。ウグイスの糞の利用は、平安時代に朝鮮から日本にもたらされたものといいます。

芸者や歌舞伎役者は、亜鉛や鉛を含んだ白粉を使用していましたが、これが皮

●ウグイス

膚病の原因になったと考えられています。この化粧を徹底的に落とし、美白や肌色のバランスを整えるためにウグイスの糞が使用されていたのです。また、僧侶はウグイスの糞を使って頭皮を磨いていたといいます。

また、着物に付着した墨の汚れ落としにもウグイスの糞が使われていました。というのは、墨は油や松を燃やしてできた煤（炭素粉）を膠《にかわ》で固めた物であり、膠は動物の脚の腱《けん》などから採ったタンパク質なのです。ですから、ウグイスの糞に含まれるタンパク質分解酵素で分解除去されるというわけです。

ということがわかったら、何も希少な「ウグイスの糞」でなくとも、庭先に転がっている「ネコの糞」でも同じ効果が得られそうなものですが、やはり、美容のためにはネコよりもウグイスの方がありがたいということなのでしょう。

嗜好品

嗜好品にも糞尿を用いた物があります。コーヒーに高価で美味しい？として知られた「コピ・ルアク」、日本名「ジャコウネコ・コーヒー」です。その名前のとおり、ネコの一種であるジャコウネコが果肉の着いたコーヒーの実を食べます。果肉は消化されますが種はそのまま糞に混じって排泄されます。この糞を集めて洗浄濾過し、種（コーヒー豆）だけを集めて焙煎した物という触れ込みです。

ところが、上には上があるもので、最近は象が食べて排泄した「コピ・ジャンボ」という物が登場して、大変高価なのだそうです。そのうち、ホモ・サピエンスが排泄した究極のコーヒー「コピ・サピエンス」などという物が登場するかもしれません。ご注意ください。

●コピ・ルアク

SECTION 32

医療品

糞尿は生体が排泄した老廃物です。そこには生体の多くの情報が集約されています。糞尿を詳細に検証したら、生体のリアルな情報が入手できるはずです。

検便

糞(便)は胃や小腸、大腸を経由して排泄されたものです。したがって消化器系の働きや状態を直接に反映するものです。その状態は診療においても重視されます。これは人間でも家畜でも同様です。

この目的のために糞を調べることを検便と言います。現代の医療現場では、検便で感染症・食中毒の原因菌・ウイルスや寄生虫卵、血液が含まれていないかなどの検査が行われます。

排便した結果、小量の便潜血が検出されれば大腸ガンや消化性潰瘍などの可能性があるほか、肉眼で血が混じっていると確認できる血便や下血では疾患のほか痔核などの可能性があります。

検便でわかる病気

検便で検査できる病気には次の物があります。

① 大腸ポリープ

大腸ポリープは、大腸の粘膜がいぼ状に隆起した組織です。便が通過するときにポリープの表面が傷つくことで出血し、便に混じります。ポリープが大きくなるほど、出血のリスクが高まります。

ほとんどのポリープは出血することなく大きくなり、大腸ガンへと進行します。ポリープは便潜血検査だけでも見つけることができませんので、症状で診断することは不可能です。

②潰瘍性大腸炎

潰瘍性大腸炎は、大腸粘膜に慢性的な炎症が起こる難病です。炎症部から出血し、便に混じります。粘り気の強い便が出ることもあります。しばしばケチャップのような便と表現されます。白っぽい粘液と共に排便することもありますが、便の回数が増えてくることが特徴です。

③大腸憩室症

大腸憩室症は、大腸の壁が外側に向かって飛び出し、憩室ができた状態です。憩室内での細菌感染によって起こる炎症（憩室炎）や憩室部の血管が破けて出血する大腸憩室出血などにより、血便が出たり、腹痛などの症状を伴うことが稀にあります。

憩室が多い方は、大腸の管腔が細くなったり、便が引っかかりやすくなったりして、便通が不安定になることがあります。腹痛をあまり伴わない憩室からの出血は大量の血が多く、真っ赤～赤紫色の大量の出血があれば憩室出血を疑います。多くは入院治療が必要となります。

④ **大腸ガン**

大腸ガンは大腸に発生する上皮性の悪性腫瘍です。便が通過するときに腫瘍を傷つけ、血液が混じります。黒っぽい便が特徴的です。少量の出血を伴うことがありますが、ほとんどは目に見えるほどの量ではありません。急に便が出にくくなったり、下痢になったりなどの症状も伴うことがあります。これらの症状が出現した大腸ガンはかなり進行してしまっている可能性があり、至急の入院検査が必要です。

⑤ **虚血性大腸炎**

虚血性大腸炎は腸管の血液循環が悪化して炎症が起こる病気です。腹痛や血便、下痢などの症状を伴います。突然発症することがあり、左下腹部に強い痛みを感じることが多いのですが、腹痛を伴わない例もあります。赤紫〜真っ赤なものが突然大量に出ることが多いのが特徴です。

⑥ **痔**

いぼ痔は肛門にできた「いぼ」から出血し、便に付着します。外側にできる外痔核の場合には、痛みを伴うこともあります。切れ痔は肛門付近で皮膚が切れ、血液が便に付着します。排便時に強い痛みを伴うのが特徴とされますが無症状のことがほとんどです。トイレットペーパーにきれいな血が付くことが多いですが、便器の壁一面に付着する大量の出血をきたすことも稀にあります。

検尿

尿は腎臓が血液から搾り取った老廃物です。したがって、全身性の疾患に関する情報を満載しています。尿の情報から検査できる病気には次のものがあります。

① 尿蛋白：基準値：陰性（－）

尿中の蛋白の有無や量を調べる検査です。腎臓の異常の有無を判断します。高血圧や糖尿病が原因で腎臓に負担がかかり、蛋白尿が出ている可能性があります。異常の際に考えられる病気は、腎炎などの腎臓の疾患、膀胱・尿道・尿管・前立腺の炎症などの尿路の疾患の他、発熱・激しい運動・妊娠時にも陽性に出ることがあります。

②尿糖：基準値：陰性（－）

尿中の糖の有無や量を調べる検査です。一般的に血糖値が160～180㎎／dLを上回ると、尿糖が出るため、高血糖の可能性が高いことを意味しています。また、腎臓で糖が再吸収する働きが低い体質の人は、血糖値が基準値以下であっても、尿中に糖が出ることがあります。これを腎性糖尿と言いますが、この場合、特別な治療は必要としません。

③尿潜血：基準値：陰性（－）

尿中に血液が混入しているかを調べる検査です。陽性の場合は、腎臓や尿道からの出血を意味しています（尿の色が赤くなくても、赤血球が混じっていることがあります）。ただし、大量にビタミンCを服用した場合は疑陽性（±）となることもあります。異常の際に考えられる病気は、膀胱や腎臓などの炎症、腎臓や尿管などの結石、泌尿器系の悪性の病気の他、激しい運動・生理中はもちろんのこと、生理前後2～3日も陽性になる可能性があります。

③ **沈渣**

尿に含まれる成分を顕微鏡で調べる検査です。成分の量や種類によって、尿蛋白や尿潜血の原因を調べる判断材料となります。

赤血球が多い場合は、腎臓など尿路系の炎症、結石、腫瘍、出血性の内科的な疾患が疑われます。白血球が多い場合は、尿路系の炎症や感染、上皮細胞が多い場合は、腎臓など尿路系の炎症、腫瘍などの可能性、円柱細胞陽性の場合は、腎炎などの腎疾患の可能性、結晶が多い場合は、結石、痛風など、細菌が検出されれば、尿路感染症、原虫が検出されれば、性行為感染症の可能性があります。

④ **尿比重：基準値：1・01〜1・03**

体の水分量を一定に保つために、腎臓は薄い尿や濃い尿を作っています。働きが悪くなると比重を保つことができなくなります。

- **低比重** ……尿崩症《にょうほうしょう》や慢性腎炎などの可能性。
- **高比重** ……心臓の病気や糖尿病、ネフローゼ症候群などの他、脱水の可能性。

SECTION 33

医薬品

昔から糞は、中医薬や漢方薬のための生薬として利用されてきました。

中国

明代中国で編纂された『本草綱目』には、「人糞」「虫糞茶」「黄龍湯」「糞清」「人中黄」などといった、糞を原料とする中医薬が記されています。

朝鮮

また、李氏朝鮮時代の王たちの疾病と治療法を研究したソウル大学校の金正善によると、中宗は解熱剤として「野人乾（人糞）」の水を飲んだといいます。朝鮮では、民間療法としてヒトに由来する生薬を多く用い、人糞を薬用としてきました。李氏朝鮮の医書である『東医宝鑑』には、鳥肉や獣肉で食中毒になった時は人糞汁、毒キノコ中毒には人糞一升、重病者に人糞を食べさせることが秘宝とされていました。朝鮮の歌歌いは、喉のために人糞を濾過した糞水を飲んでいたといいます。

日韓併合時代の朝鮮の風俗を蒐集した今村鞆の『朝鮮風俗集』には、二日酔いの治療として「人糞を黒飴に包み三日間夜露にさらした丸薬を飲む」、腫れ物の対処として「人糞に塩を混ぜて貼る」、チフス（熱病）の治療として「人糞を瓦に塗って熱して水に入れその水を飲む」、虫歯の対処として「人糞を焼いて歯に含む」などの人糞療法の記録が残っています。

トンスル

トンスルは朝鮮のお酒で人糞を原料にして作った物ですが、朝鮮半島内の地方によって作り方に差異があります。骨折・打撲・腰痛に効果があると信じられた伝統酒です。韓国では1960年代中盤からの経済発展以降は次第に飲む人が減ってきており、2010年代には若い世代には廃れかけていると言われます。

製法の一つとして、竹筒に小さな穴を開け、松葉できっちり穴を塞ぎ、便壺に入れておき、3～4ヶ月経つと、竹筒の中に清い液が溜まるので、それをマッコリと混ぜて熟成させる。急ぎの場合は直接に酒と大便を混ぜて3日程度で飲む場合もあったといいますが、急造されたトンスルは薬としての効果は弱いのだそうです。

また、赤ちゃんの排泄物を焼いた物と複数の韓薬（秦皮、ホンア、ネコの骨等）を酒に漬けるというものもあります。あるいは、6歳の子供の大便に水を混ぜ、丸1日発酵させ、炊いた白米と酵母、糞尿を混ぜて酒にした物もあり、骨折・打撲・腰痛のほか、てんかんにも効能があるとされます。

💩インドの例

インドにおいては牛の糞尿が医薬品から石鹸、シャンプー、歯磨き粉などの衛生用品など非常に幅広く使われており、牛の尿から作ったソフトドリンク「牛の水」なども存在します。

日本の例

日本では、中国の四川料理には蚊の目玉の湯が珍味であるとする説が流布していますが、この原料は夜明砂《ヤミョウシャ》というコウモリの糞を洗いだした生薬です。コウモリが食べた蚊のうち、目玉だけが消化されずに排出されるというわけです。昔の日本では馬糞《ばふん》に薬効があると信じられ、戦国時代には「馬糞治療」としての地位が確立していました。馬糞は傷口に塗る以外にも、直接食べるか、水で溶いて飲むことによって銃創(鉄砲傷)に効くとされました。武田信玄家臣の甘利昌忠が負傷した部下に糞便の薬を飲ませる際、嫌がる部下を前に自ら飲んで見せたという話が、美談として伝えられています。また、傷の痛みが酷い時には温めた人の小便を飲ませることもあったといいます。

尿療法

尿療法は、尿を用いて病気を治したり健康を増進したりしようとする民間療法の一つです。尿は排泄直後から雑菌の繁殖が始まるため、尿療法では、排泄したばかりの尿をその場で飲むこととしており、飲む尿は原則として自分が排泄したものに限ります。量は朝一番の尿をコップ2杯分摂取するのが標準です。飲むのに抵抗がある場合には、水やお茶などで薄めると飲みやすくてよいといいます。

尿は体内からの排泄物ですが、摂取した食物の残渣や腸内細菌などの塊である糞便と異なり、血液から作られた余剰物であり、体外に排泄されるまでは基本的に無菌のものです。成分的には水（98％）のほか尿素、アンモニア、その他電解質といった血清とほぼ同じもので構成されています。ただし、健康や治療への寄与について、体験談の類はあるものの、科学的・医学的根拠はありません。試すのは自己責任でどうぞということになりそうです。

糞便移植

健康な人の大腸菌を移植するため便微生物移植として、古代から水に溶かした便を飲ませたり、浣腸の形で投与しました。現代でもクロストリジウム・ディフィシル腸炎などの治療として行われることがあります。

SECTION 34

軍事用品

糞尿は一般に不潔で汚いものとされ、誰しもが嫌うものですから、それを逆手にとって軍事用に使ったり、糞尿を使ってより優れた軍事品を作ることもあります。

直接兵器

糞便は、昔から城の包囲戦の際に、攻撃側が敵の城内に投げ込むことによって城内の衛生環境を悪化させ、疫病を発生させたり、逆に守備側が城内で貯めたものを撒きつけて退散させたりするという目的で用いられました。

ある種の細菌兵器と考えることもできます。現に近代の戦争で、赤痢などの伝染病を蔓延させるための兵器として使用されたこともあります。また、陣地間の連絡に使う狼煙《のろし》は狼の糞を燃やして発生する煙を使用することから名付けられたといいます。

硝石製造

人類が造った最初の火薬は黒色火薬といわれます。黒色火薬は炭（木炭）の粉C、イオウS、硝石（硝酸カリム）KNO_3を混合した黒色粉末です。炭、イオウは多くの国に普通に存在する物ですが、硝石はそうはいきません。ある国にはありますが、無い国にはありません。無い国はある国から買うか、自分で作るかしなければなりません。

人為的に硝石を作るのは大変な仕事です。硝石は尿から作ります。小屋に藁を敷き、そこに大勢で毎日オシッコを掛けます。1年も経つと、土中の硝酸菌が尿

●黒色火薬

中の尿素$(NH_2)_2CO$を硝酸HNO_3に変えます。

その頃、藁を大鍋に取って加熱します。硝酸が藁の中のカリウムと反応して硝酸カリウムとなり、結晶として鍋の中に沈澱します。これを濾過したら硝石の出来上がりです。しかし、この作業の臭いことと言ったらまさしく涙ものです。そのため、フランス、ブルボン王朝では硝石作りの役人には特別俸給を出していたといいます。

日本の加賀藩(現在の石川県)では飛騨の五箇山で硝石を作っており、それを藩都金沢に運んだ道が「煙硝街道」と呼ばれて残っています。

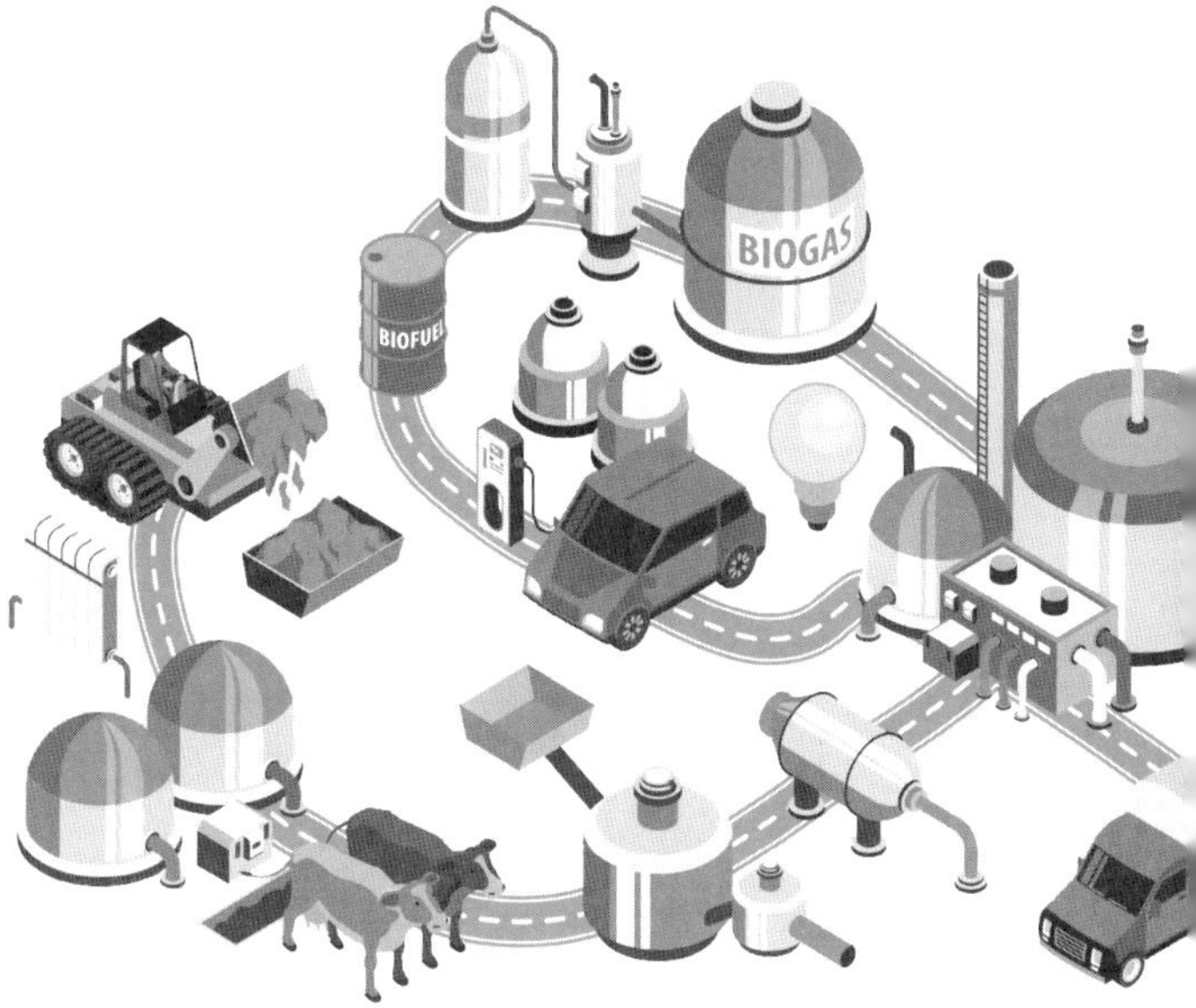

Chapter.7
屎尿処理・環境整備

SECTION 35

天然の糞尿処理

全ての動物は餌を食べ、その一部を糞尿として排泄し、餌と糞尿のエネルギー差を生命エネルギーとして利用して生命を営んでいます。どちらが滞っても生命の運動は動きを止めてしまいます。

排泄の場所

全ての動物は糞尿を排泄しますが、その場所は動物によって違います。訓練されたペット以外の多くの動物は、排泄したくなった時に、したくなった場所で排泄しますが、中には排泄する場所を決めている動物もいます。

ウサギ、キツネ、イノシシ、タヌキなどはその例です。中でもタヌキは1匹だけでなく、ある領域に住むタヌキはほぼ全てが同じ場所で排泄するそうです。つまりタヌキ専用の公衆トイレです。一般に「タヌキの溜めグソ」と言われる習性です。

定期的に、このトイレに通い、他の固体のウンチの匂いをかぐことによって、仲間の健康状態などを知り合っているといいます。もしかしたら、感染病の襲来などもいち早く察知しているのかもしれません。

ペットなどでよく見かけるマーキングもこのような情報交換の一種と見ることができるかもしれません。一般にマーキングは自分の領分を主張する物と言われますが、お互いの健康状態をはじめとした各種情報の交換を担っているのかもしれません。

糞尿の処理

ネコは、好んで柔らかい土地で排泄し、終わるとそこに砂や土を被せますが、多くの動物は排泄し放題のようです。

昔の馬車を引く馬は尻にバケツを下げ、馬糞はそのバケツで受ける仕組みになっていましたが、もちろん、そんなことをしてくれるのは馬丁《ばてい》（馬のめんどうを見る人）で、野生の馬がそんなことをするはずはありません。

それでは、排泄された糞尿はどうなっていたのでしょう？　乾燥した土地ならば尿の水分は直ぐに揮発し、糞も乾いてカラカラになって風に舞うことでしょう。その後は適当な虫が食べて、虫の糞とします。その後は微生物が食べて分解し、空気酸化されて土に戻ることでしょう。あるいは風に飛ばされて川に落ち、魚に食べられたり、微生物に分解され、それでも残った物は海に運ばれて紫外線で分解され、プランクトンに食べられたりしたことでしょう。自然界の動物の密度は大きくないので、たいていの動物の糞尿はこれで始末されるのではないでしょうか？

日本のトイレ事情

日本のトイレの歴史を簡単にまとめて見ましょう。

①縄文時代（約４０００年前以前）

スタイル：川

流し方：川にそのまま

拭き方：葉、木片、陶器のかけら

②**飛鳥時代（約1400年前）**
スタイル：（上流階級）川を建物の中に引き込む
流し方：川にそのまま
拭き方：木片

③**平安時代（約1000年前）**
スタイル：（上流階級）箱、オマル
流し方：溜まると捨てる
拭き方：木片

④**江戸時代（150〜400年前）**
スタイル：汲み取り式全盛、公衆トイレも登場
流し方：汲み取り、売却
拭き方：古紙

SECTION 36

都会の人間の糞尿処理

糞尿の問題で厄介なのは人間の糞尿です。開拓時代のアメリカのように、大平原に数人程度の人口密度なら、一人がどんなに大量のウンチをしても、野生動物の場合のように、風雨と虫と微生物が掃除をしてくれるでしょう。

大都会のトイレ事情

しかし、パリや江戸のように、一カ所に何万、何十万の一種類の動物が集合した土地では、普通の風雨や虫だけでは掃除しきれません。

江戸という、当時世界で有数の大都会で糞尿の始末をどうしていたかは先に見たとおりです。ここでは糞尿を貨幣価値のある物に変容させ、江戸から周囲の農村部に販売して始末していました。世界有数の優れたシステムと言って良いでしょう。おかげで江戸は、外人が驚くほど清潔な環境を誇っていたのです。

しかし、このようなシステムの無いパリなどの外国の都市では大変です。それでも、予算のある大都市では夕方になると、切り藁を積んだ馬車が現われ、幹線道路に藁を撒いてゆきます。夜になると、家々でオマルに糞尿を排泄し、それを「お水に注意！」などと言いながら、窓を開けて外に放り投げるのです。水だけではないから大変です。

そして朝になると、また馬車がやってきて、その藁を回収して行きます。その藁の運命は定かではありません。ある物は燃やされ、ある物は地中に埋められ、ある物はセーヌ川に撒かれたのかもしれません。

これではコレラやペストが流行るのは当然です。当時のヨーロッパでは一度、感染症が流行ると止めどなく蔓延し、村や町が消えるほどの被害が出たといいますが、当然と言えば当然の帰結です。

大宮殿のトイレ事情

このような事情はパリの下町に限った話ではありません。着飾った貴人、貴婦人が踊りあかした宮殿でも同じです。ルーブル宮殿にトイレはありません。現在はありますが、それは現代になって付け足した水洗トイレです。マリーアントワネットが品を作っていた頃のヴェルサイユ宮殿にもトイレはありませんでした。

彼女はつきそいの官女が差し出したオマルに用をたしたのです。あの巨大なスカートを広げてオマルを隠し、その周囲を屏風のようなもので囲ったことでしょうが、音も匂いもあけっぴろげです。終わったら官女が庭に撒いたのではないでしょうか？ 男性も、よほどの高官はオマルで済ましたかもしれませんが、並みの人は庭の花々に肥料として施したようです。

事情は日本でも同じです。お城の天守閣はもちろん、普段公務を行う御殿にもトイレはありませんでした。殿様クラスには専用の、それこそ豪華なトイレが用意してありますが、そのほかの侍は庭でタチションです。近年再建された名古屋の二の丸御殿は、創建当時のままに再建されたものですが、あるのは殿様用以外には見物客用の水洗トイレだけです。

ということで、日本の場合にはお城の衛生事情は江戸の下町よりよほど劣悪だった、といえるかもしれません。

SECTION 37

人為的屎尿処理の歴史

日本語では、人間の糞尿をとくに屎尿《しにょう》といいます。日本の屎尿処理は、江戸時代の金肥システムが崩れてから問題がたちあがりました。

汲み取り・廃棄問題

20世紀にはいるとドイツのハーバーとボッシュという二人の大科学者が開発したアンモニアの直接合成法のおかげで、化学肥料が大量に、安価に流通するようになりました。加えて人々の衛生観念が向上し、糞尿を田畑に撒いて肥料にするという農法が見直されることになりました。

その結果、農村部の農家が都会の家の屎尿を汲み上げに来るというシステムが崩壊しました。代わって登場したのが、ポットントイレに溜まった屎尿を真空吸引する巨大掃除機のようなバキュームカーという自動車でした。この自動車が各家を周り、一軒一軒の家から屎尿を吸い取っていったのです。

そこまでは、衛生的で合理的なのですが、問題はその先です。汲み取った屎尿を使ってくれる人は誰もいません。屎尿はどこかに棄てる以外ありません。川に棄てようにも、よほど大きな河でなければすぐに飽和して近所の住民から苦情が来るにきまっています。

海洋投棄

あるのは海だけです。東京市（当時）が屎尿の海洋（東京湾）投棄を開始したのは昭和7年、1932年ことでした。その後、屎尿の海洋投棄廃止と総水洗化を目標に、下水道、浄化槽、及び屎尿処理施設の整備を進めることが決定されたのはそれから30年近く後のことでした。

人口集中が下水道整備を超過した1950年代、都市部の収集屎尿は船舶による海洋投棄処分が主流となっていました。当時、東京湾外の青い海原に広がる屎尿の黄色い帯が、「黄河」と呼ばれたといいます。

当然ですが、こうした屎尿の海洋投棄は、排出元と排出先との間で軋轢《あつれき》を招きました。広島市と周辺13町の例では、高知県沖合に屎尿を投棄してきたのですが、1975年、高知県に対して年間1400万円の迷惑料を支払うことを決定しています。

その後、下水道の普及や屎尿処理の高度化により、屎尿の海洋投棄は下火にむかいました。そして、ロンドン条約の1996年議定書を批准して国内法規を整備し、2002年の廃棄物処理法施行令の改正と2007年までの猶予期間の終了により、汚物の海洋投棄は原則として廃止されて現在に至っています。

SECTION 38

下水処理

日本の都会部では飲用水を供給する上水道と、汚水を運び去る下水道が整備されています。とは言っても上水道の普及率は98%ですが、下水道は未だ81%、20%の人にはまだ届いていないのです。

下水処理のしくみ

下水の処理は、沈砂池、第一沈殿池、反応槽、第二沈殿池、塩素接触槽の順に、プールのような池に下水を流す過程で行

●下水処理施設

われます(図①)。

処理場に流入した下水は、まず、沈砂池で大きなゴミを取り除き、土砂類を沈殿させます。次に、第一沈殿池で下水をゆっくり流し、下水に含まれる沈みやすい汚れを沈殿させます。

反応槽では、下水と微生物の入った汚泥(活性汚泥)に空気を送り込み、6~8時間ほどかき混ぜます。下水

●下水処理のしくみ(図①)

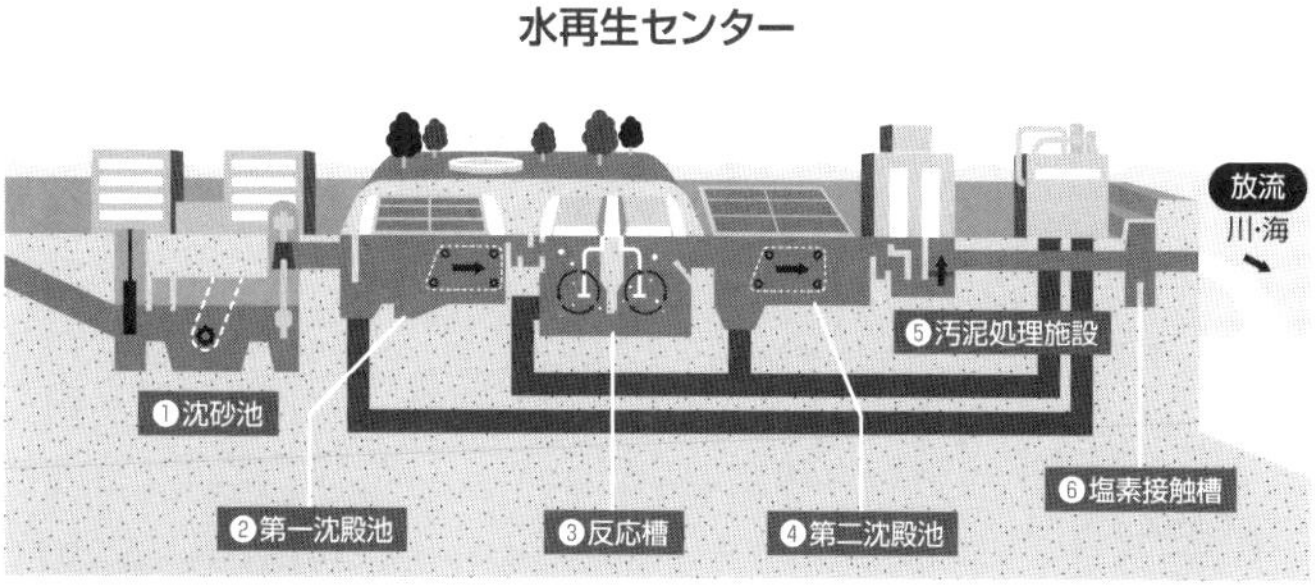

❶沈砂池	下水が入る最初の池で、大きなゴミを取り除き、土砂類を沈殿させます。
❷第一沈殿池	2~3時間かけて下水をゆっくり流し、下水に含まれる沈みやすい汚れを沈殿させます。
❸反応槽	微生物の入った泥(活性汚泥)を加え、空気を送り込み、6~8時間ほどかき混ぜます。下水中の汚れを微生物が分解し、細かい汚れも微生物に付着して沈みやすい塊になります。
❹第二沈殿池	反応槽でできた泥(活性汚泥)の塊を3~4時間かけて沈殿させ、上澄み(処理水)と汚泥とに分離します。
❺汚泥処理施設	最終沈殿池で底に沈殿したもの(汚泥)は、汚泥処理施設へ送られ、有効利用されています。
❻塩素接触槽	処理水を塩素消毒して大腸菌等を殺菌してから川や海に流します。

中の汚れを微生物が分解し、細かい汚れは微生物に付着して、沈みやすい塊になります。

第二沈殿池では、反応槽でできた汚泥（活性汚泥）の塊を3～4時間かけて沈殿させ、上澄み（処理水）と汚泥とに分離します。

最期の塩素接触槽では、処理水を塩素消毒して大腸菌等を消毒してから、川や海に流します。

分流式下水処理

下水道に溜まる水は次の2種類があります。

❶屋外に降った雨水
❷台所から出る汚水とトイレから出る糞尿交じりの水

この2種類の水を別系統として分流するのが分流式、あるいは、二経路式下水処理です。現在の日本の下水道はほとんどが合流式で、2種類の水を分けていません。一括して汚水として処理しています。

分流式（図②）では、雨水管を流れる水は雨水だけです。雨水には特別の汚染物質は含まれていません。したがって特別の浄化処理を行う必要は無く、そのまま海へ送ればよいだけです。しかし、汚水管を流れる水はそうはいきません。各家庭の台所、お風呂、洗濯などの排水やトイレから送られてきた糞尿が混じっています。このような水がそのまま海に送られたのでは、かつての「屎尿の海洋投棄」と同じことです。

合流式と分流式の違いがはっきりと出るのは大雨の後です。合流式では大雨が降ると、1本しか無い下水道管に

●分流式（図②）

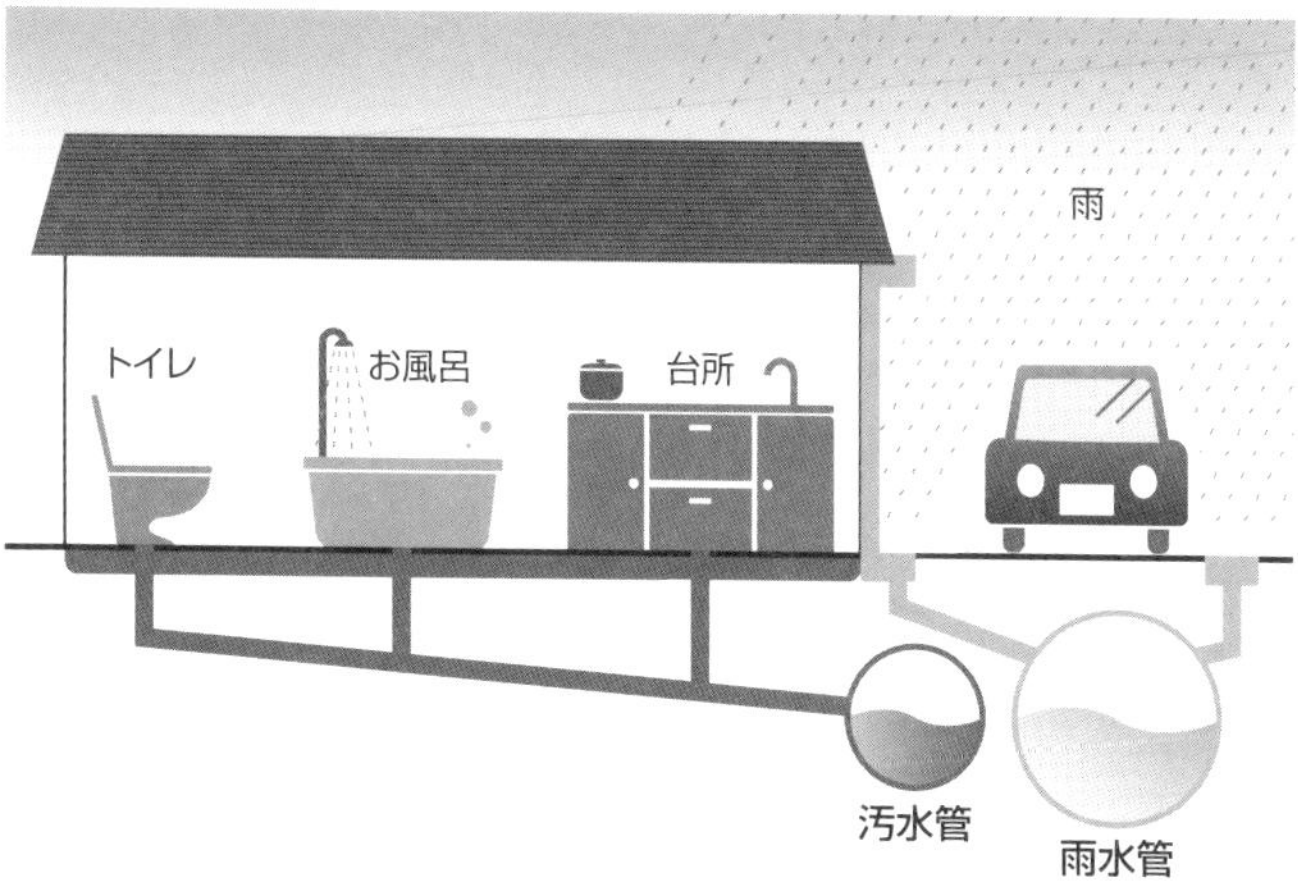

大量の雨水が押し寄せます。それが糞尿管の汚水と一緒になって下水処理場に押し寄せますから、処理場は能力以上になり、結局十分な処理ができないまま、汚水を海に放出することになります。つまり、結果的に海洋投棄と同じことになるのです。

東京2020オリンピック競技大会でもそのことが指摘されました。つまり、海の一角を仕切った競技場では糞尿の匂いがするという苦情です。それはこのような下水処理施設の未熟さを指摘する声といってよいでしょう。国際的に恥ずかしいことです。少なくとも、これから新設する下水道は分流式にしたいものです。沈澱剤、殺菌剤などの処理費用は分流式の方が少なくて済むはずです。

SECTION 39

屎尿処理施設

屎尿処理施設とは、屎尿および浄化槽汚泥等を処理し、公共用水域へ放流するための施設のことを言います。廃棄物処理法で定める一般廃棄物処理施設として、糞尿、汚泥を処理の対象とし、市町村や行政組合などが設置、管理する施設です。

用途

家庭や事業場などから発生する屎尿や、浄化槽等の清掃により発生する汚泥は、バキュームカーなどで屎尿処理施設へ搬入されます。屎尿は窒素を多く含み、通常の活性汚泥処理だけではその除去が困難です。そのため、生物学的窒素除去法を取り入れ、高濃度の有機廃液を効率よく処理するための設備が必要とされることから、建設が進められたものです。

施設内では悪臭が発生するため、高濃度、中濃度、低濃度、極低濃度と細かく区分し、各々の濃度に適した処理方式で脱臭され周辺環境に影響しないよう、特に配慮されています。

処理を終えた水は基本的に無害化されていますが、ヒトの胆汁に由来する難分解性の色素のため、黄色から茶色に着色しています。これが視覚的に不快感を与えることを防ぐため、主にオゾンによる酸化分解と活性炭吸着により、透明な状態まで処理します。処理水には塩分がやや多く含まれているため、井戸水や河川水、工業用水などで希釈して河川などに放流します。

下水道の普及に伴い、全国的に屎尿の発生量は減少し続けていますが、地域によっては横ばいまたは増加しているケースもあります。また、合併処理浄化槽の普及により、浄化槽から発生する余剰汚泥が増加していますが、これらの汚泥は性状が不安定で、油脂分を多く含むため、その処理は屎尿のそれよりさらに困難となります。

ロンドン条約の96年議定書を受けた法改正により、2007年2月から海洋投棄が全面禁止され、一時的かつ急激な増加が懸念されているといいます。

SECTION 40

汚泥利用

下水道処理施設では、循環型社会を目指し、脱水処理した下水汚泥を焼却して減量化するとともに、下水汚泥の資源化を進め、資源化率の向上を図っています。その例を紹介しましょう。

下水汚泥の資源化の例

① 下水汚泥から炭化燃料を製造し、石炭火力発電所に販売

この事業は、汚泥炭化施設により製造した炭化燃料を、石炭火力発電所で石炭の代替として活用するものです。

長期間にわたり取引先が明確になっているため、安定的な資源化が確保できます。これにより、下水汚泥の資源化を大幅に向上(年間発生汚泥量の約9％に相当)させる

とともに、温室効果ガスの発生を抑制することが可能となります。

②下水汚泥の焼却灰をベントナイトとして利用

下水汚泥の焼却灰を粉砕加工して粒子を小さくそろえることにより、焼却灰が持っている優れた特性を引き出し、土木工事等で大量に用いられる粘土材料(ベントナイト)のかわりに利用することができます。ベントナイトとは、火山が噴火した際、海や湖の底に堆積した火山灰が変質して生成した粘土鉱物で、セメントの混和剤などに使用されます。

●ベントナイト

③スラジライト(軽量)として利用

下水汚泥の焼却灰を原料として、水、バインダー(結合剤)を加えた後、混練、造粒、乾燥させたものを約1050℃で焼成し、製造します。

造粒乾燥物を焼成すると、表面が半溶融状態になると同時に、内部に気泡が生じます。それを冷やすと、固い殻で覆われた発泡体ができます。これをスラジライトと呼んでいます。スラジライトは、屋上緑化の土壌材料などに利用されています。

④セメント・アスファルト原料

セメントの主な原料は、石灰石、粘土、シリカ質原料、鉄原料等で構成されています。下水汚泥の焼却灰には、一般にこの粘土材料と同様の成分が含まれているため、セメント原料の一部として利用されています。また、アスファルト混合物としての利用も行われています。

索引

ま行

や行

ら行

な行

は行

■著者紹介

齋藤《さいとう》 勝裕《かつひろ》

名古屋工業大学名誉教授、愛知学院大学客員教授。大学に入学以来50年、化学一筋できた超まじめ人間。専門は有機化学から物理化学にわたり、研究テーマは「有機不安定中間体」、「環状付加反応」、「有機光化学」、「有機金属化合物」、「有機電気化学」、「超分子化学」、「有機超伝導体」、「有機半導体」、「有機EL」、「有機色素増感太陽電池」と、気は多い。執筆暦はここ十数年と日は浅いが、出版点数は150冊以上と月刊誌状態である。量子化学から生命化学まで、化学の全領域にわたる。著書に、「SUPERサイエンス 縄文時代驚異の科学」「SUPERサイエンス 「電気」という物理現象の不思議な科学」「SUPERサイエンス 「腐る」というすごい科学」「SUPERサイエンス 人類が生み出した「単位」という不思議な世界」「SUPERサイエンス 「水」という物質の不思議な科学」「SUPERサイエンス 大失敗から生まれたすごい科学」「SUPERサイエンス 知られざる温泉の秘密」「SUPERサイエンス 量子化学の世界」「SUPERサイエンス 日本刀の驚くべき技術」「SUPERサイエンス ニセ科学の栄光と挫折」「SUPERサイエンス セラミックス驚異の世界」「SUPERサイエンス 鮮度を保つ漁業の科学」「SUPERサイエンス 人類を脅かす新型コロナウイルス」「SUPERサイエンス 身近に潜む食卓の危険物」「SUPERサイエンス 人類を救う農業の科学」「SUPERサイエンス 貴金属の知られざる科学」「SUPERサイエンス 知られざる金属の不思議」「SUPERサイエンス レアメタル・レアアースの驚くべき能力」「SUPERサイエンス 世界を変える電池の科学」「SUPERサイエンス 意外と知らないお酒の科学」「SUPERサイエンス プラスチック知られざる世界」「SUPERサイエンス 人類が手に入れた地球のエネルギー」「SUPERサイエンス 分子集合体の科学」「SUPERサイエンス 分子マシン驚異の世界」「SUPERサイエンス 火災と消防の科学」「SUPERサイエンス 戦争と平和のテクノロジー」「SUPERサイエンス 「毒」と「薬」の不思議な関係」「SUPERサイエンス 身近に潜む危ない化学反応」「SUPERサイエンス 爆発の仕組みを化学する」「SUPERサイエンス 脳を惑わす薬物とくすり」「サイエンスミステリー 亜澄錬太郎の事件簿1 創られたデータ」「サイエンスミステリー 亜澄錬太郎の事件簿2 殺意の卒業旅行」「サイエンスミステリー 亜澄錬太郎の事件簿3 忘れ得ぬ想い」「サイエンスミステリー 亜澄錬太郎の事件簿4 美貌の行方」「サイエンスミステリー 亜澄錬太郎の事件簿5［新潟編］ 撤退の代償」「サイエンスミステリー 亜澄錬太郎の事件簿6［東海編］ 捏造の連鎖」「サイエンスミステリー 亜澄錬太郎の事件簿7［東北編］ 呪縛の俳句」「サイエンスミステリー 亜澄錬太郎の事件簿8［九州編］ 偽りの才媛」（C&R研究所）がある。

編集担当：西方洋一 ／ カバーデザイン：秋田勘助（オフィス・エドモント）
イラスト：©macrovectorart - stock.foto
写真：©zhaojiankangphoto - stock.foto

SUPERサイエンス 糞尿をめぐるエネルギー革命

2023年12月25日　初版発行

著　者　齋藤勝裕
発行者　池田武人
発行所　株式会社　シーアンドアール研究所
新潟県新潟市北区西名目所 4083-6（〒950-3122）
電話　025-259-4293　FAX　025-258-2801
印刷所　株式会社　ルナテック

ISBN978-4-86354-435-2 C0043